略傳

一九一五年六月：夢參老和尚出生於中國黑龍江省開通縣。

一九三一年：在北京房山縣上方山兜率寺，依止慈林老和尚剃度出家，法名為「覺醒」。但是他認為自己沒有覺也沒有醒，再加上是作夢的因緣出家，便給自己取名為「夢參」。

同年在北京拈花寺受比丘戒，戒期圓滿，南下九華山，朝禮地藏菩薩道場，正遇上六十年舉行一次的開啓地藏菩薩肉身塔法會。由於因緣殊勝，為老和尚爾後弘揚地藏法門種下深遠的影響。

一九三二年：轉赴福建省福州市鼓山湧泉寺參訪，他對湧泉寺當時的一切境界似曾相識，彷彿故地重來。

當時虛雲老和尚於鼓山創辦法界學苑，並請慈舟老法師主講《華嚴經》。

他決定依止慈舟老法師學習《華嚴經》，歷時半年，仍無法契入華嚴義海，遂親自向慈舟老法師請法，之後決定以拜誦〈普賢行願品〉、燃身臂供佛的苦行，開啓智慧。

除依止慈舟老法師，學習《華嚴經》外，更旁及虛雲老和尚的禪法，有時也奉慈舟老法師之指示，代講經論，諸如《阿彌陀經》等等。

一九三六年：赴青島湛山寺，依止倓虛老法師學天台四教，並擔任湛山寺書記，負責倓虛老法師的庶務以及對外連絡事宜。

在湛山寺擔任書記期間，一方面向倓虛老法師習天台四教，及宣揚慈舟老法師的戒律精神。隨後奉倓虛老法師之命，禮請慈舟老法師北上青島湛山寺講律，又護送慈舟老法師到北京，開講《華嚴經》。

一九三六年底：再度奉倓虛老法師之命，赴福建廈門萬石巖，禮請弘一大師北上弘律，歷時半年之久。因《梵網經》的請法因緣，弘一大師同意北上湛山寺，開講〈隨機羯磨〉。

一九三七年：擔任弘一大師的侍者半年，以護弘老生活起居，深受弘一大師身教的啓發。當時並就近依《占察善惡業報經》所描述的占察輪相，請弘一大師親手製作一付，以供修習。

弘一大師爲了答謝他擔任半年的外護，親贈手書的「淨行品」偈頌乙本。

一九三七年至四〇年：隨同倓虛老法師在長春般若寺傳戒，講四分戒律，並往來於東北各省、北京、天津、山東等地，講經弘法。其間曾接觸來自西藏的藏僧，引動了赴西藏學習密法的因緣。

一九四〇年：由北京至香港、新加坡、印度弘法並朝禮佛陀遺跡。

一九四一年：轉赴西藏拉薩學習密法，住在西藏黃教三大寺之一的色拉寺學習經論五年，依止夏巴仁波切，赤江仁波切，並因能海老法師的引進參拜康薩仁波切。

一九四五年至一九四九年：轉赴西康等地參學，總計在西藏學習密法達十年之久。

一九五〇年：由西藏返回中國內地，被錯判刑十五年，勞動改造十八年，入獄長達三十三年。在獄中，他經常觀想一句偈頌：「假使熱鐵輪，在汝頂上旋，終不以此苦，退失菩提心。」奠立了爾後重回佛教，弘揚佛法的信心。

一九八二年：平反出獄，回北京任教於北京中國佛學院。在這段時間如法修學地藏法門，重啓弘揚經論的智慧。

一九八四年：接受福建南普陀寺妙湛老和尚、圓拙長老之邀，到廈門南普陀寺重建閩南佛學院，並擔任教務長一職，開講《華嚴經》、《法華經》、《楞嚴經》、〈大乘起信論〉等。

一九八七年：應美國萬佛城宣化上人之邀，赴美數月後返回中國。

一九八八年：應美國洛杉磯妙法院旭朗法師之請，再次赴美弘法，開講《占察善惡業報經》、〈華嚴三品〉、《地藏經》、《心經》、《金剛經》、《華嚴經》等，並數度應弟子邀請到加拿大、紐西蘭、新加坡、香港、台灣等地區弘法。

二〇〇四年：現常住五台山靜修，並於普壽寺開講《大方廣佛華嚴經》預計四年圓滿。

地藏菩薩本願經 卷中

目錄

地藏菩薩本願經《卷中》

夢參老和尚 主講

地獄名號品 第五

「爾時，普賢菩薩摩訶薩白地藏菩薩言：仁者！願為天龍四眾及未來現在一切眾生，說娑婆世界及閻浮提罪苦眾生所受報處，地獄名號及惡報等事，使未來世末法眾生，知是果報。」

這一品是普賢菩薩請地藏王菩薩說的。「爾時」就是佛跟四天王說完法之後，在會場當中，普賢菩薩跟地藏王菩薩說，我想請教你一個問題。「仁者」，是尊稱地藏王菩薩的意思，即賢而有德的人。他說：「我希望、祈求，可不可以跟天龍四衆及未來現在一切衆生，說明這些犯了罪造了業的人，受報的地點在哪裡？還有地獄的名號，以及他們受了惡報、受地獄的苦處，使未來末法的衆生知道這些果報，不敢造罪。」

普者，遍也，賢即有德。普賢菩薩是在寶藏世界寶藏佛時發心的；所發的願是在一切法界中度衆生。法界就是周遍的意思，無有遺餘，沒有一處不是他的願力所要救度的衆生，因此叫「普」；他的地位與佛幾乎相等，但他還不是佛，所以叫「賢」；他所證得的，理窮果海，道理就是實際理地，定力是無量無邊的三昧。「行」就是十大願王，他所發的願，具足這些德，所以稱爲大菩薩。普賢菩薩請求地藏王菩薩說這些地獄的名號、地獄的處所，所受的報、所感的痛苦，好利益一切衆生。

「地藏答言：仁者！我今承佛威神及大士之力，略說地獄名號及罪報惡報之事。」

「仁者」為互相尊稱之意，因為普賢、地藏，他們的德行、所發的願都是相等的。「我自己答覆你，恐怕不會圓滿，所以仗著佛的力量及大士您的力量（尊敬普賢菩薩的意思），略說地獄名號，想要說的很周全恐怕還辦不到，就簡略的說一說，為什麼住這個地獄？犯了什麼罪？做了什麼惡？才受了這個報。」

「仁者！閻浮提東方有山，號曰鐵圍，其山黑邃，無日月光；有大地獄號極無間，又有地獄名大阿鼻。」

地獄在什麼地方？這是總說地獄所在地，有的說在閻浮提下方，這裏指的是東方。〈大毘婆沙論〉中說在閻浮提下方，《啓世經》也說下方。閻浮提東方或下方有一座山叫鐵圍，也就是鐵圍山，這座山不是土也不是石頭，完全是鐵，還是圍繞的。「邃」就是遠，就是黑，黑暗無比，走了很久很久，看不見光明，永遠黑暗，黑到什麼程度呢？黑到自己看不到自己的手，在地獄裡，日月光是照不到的。

這個處所當中，有個大地獄名叫極無間，又稱爲大阿鼻，這個地獄圍繞在鐵圍之外，還有一重的大鐵圍山，寬、廣大約爲六百八十萬由旬，在大鐵圍山和閻浮提鐵圍山中間，其大黑邃，是黑暗的，在這兩山之間有八大地獄，地獄就在這裡頭。

各個經論中，對於記載阿鼻地獄和無間地獄所說的都不同，但總的說都是受苦、無救。阿鼻地獄和無間地獄是總名詞，以下共有二十二個地獄。

「復有地獄名曰四角，復有地獄名曰飛刀，復有地獄名曰火箭，復有地獄名曰夾山，復有地獄名曰通槍，復有地獄名曰鐵車，復有地獄名曰鐵床，復有地獄名曰鐵牛，復有地獄名曰鐵衣，復有地獄名曰千刃，復有地獄名曰鐵驢，復有地獄名曰烊銅，復有地獄名曰抱柱，復有地獄名曰流火，復有地獄名曰耕舌，復有地獄名曰剉首，復有地獄名曰燒腳，復有地獄名曰啗眼，復有地獄名曰鐵丸，復有地獄名曰諍論，復有地獄名曰鐵鈇，復有地獄名曰多瞋。」

這二十二個地獄是屬於阿鼻大地獄的眷屬獄，受完了重獄要受輕的。這些小地獄在《地藏經》上是說二十二個，第一個是四角地獄。周圍五百由旬都是熱鐵熱火所燒，上面的火接到下面去，下面的火燒到上面去，或在空中下火球、火雨，下來的都是一點點熱鐵，在此受罪的有情衆生，從他的頭頂一直到足都被大火燒成灰燼，因爲痛苦，所以就往四方跑，但也跑不出去，所以稱爲四角地獄。

第二個是飛刀地獄。像我們說的刀輪、刀山，是自己的業所感召的。空中都是飛刀，像車輪似的絞，自動旋轉。第三是火箭地獄，跟刀相似，這箭在地下往上射。第四個是夾山地獄。夾山地獄兩邊是火焰山，是鐵的，往裏夾犯罪的人，連燒帶熱的就夾成一個肉餅了。第五是通槍地獄。槍爲一種兵器，跟刀箭類似，每一個地獄都是根據自己生前的業，因，像造弓箭、造刀槍、造火砲的，拿這個東西害人，這都是自己的業所感的果。

鐵車地獄即熱鐵的火車。鐵床地獄就是床用熱鐵所製成的。鐵牛地獄是熱鐵鑄成的牛，罪人生到這個地獄，就見牛來撞你了，這還是小地獄，不是根本地獄，受這苦比阿鼻地獄五無間還好一點。

還有鐵衣地獄、千刃地獄，鐵衣就是拿熱鐵做的衣服，不穿也不行，好像自然業感，衣一著體，混身糜爛。其它還有鐵驢地獄、烊銅地獄、抱柱地獄、流火地獄；剉首地獄，過去有人喜歡砍眾生的腦殼，但現在也遭人砍。燒腳、啗眼、鐵丸、諍論、鐵鈇、多瞋，一共有這麼多。大家根據名字想一想，這都是生前所做的業，造什麼業就感什麼果。

「地藏白言：仁者！鐵圍之內有如是等地獄，其數無限。」

地藏菩薩向普賢菩薩說，地獄我還沒有說完，數字很多，沒有限量。因爲眾生的業是無限的，所感的果也是無限的。我在大陸上有人問我說：「給人打官司的就叫刀筆，他下什麼地獄？」我說：「他下刀山箭樹吧！」筆變成劍、刀、槍，都有的，都對上號了；看你造什麼業，對什麼號，有人說現在新式造的業，恐怕地獄沒有，我說：「地獄又增加了，無限哪！」他這邊做，那邊業就造成了，罪就在那裡受了。

「更有叫喚地獄、拔舌地獄、糞尿地獄、銅鎖地獄、火象地獄、火狗地獄、火馬地獄、火牛地獄、火山地獄、火石地獄、火床地獄、火梁地獄、火鷹地獄、鋸牙地獄、剝皮地獄、飲血地獄、燒手地獄、燒腳地獄、倒刺地獄、火屋地獄、鐵屋地獄、火狼地獄。」

以下再說二十二個地獄名號。這個地獄是不少，但跟眾生造的業相比，這地獄還是少的。看一看人間，眾生造業所想的方法，就像一個人的心機就千百樣，更不用說整個世界上眾生的心機了。現在人間發明了利器乃至於槍砲，這上面所說的刀槍箭樹沒有用了，現在的槍砲比那時殺人的利器還多，還有化學武器，得設化學地獄。

「如是等地獄，其中各各復有諸小地獄，或一或二、或三或四，乃至百千，其中名號各各不同。」

這些地獄不算，還有附屬的，每個地獄都附有小地獄，或者附一個、附二個、附三個乃至於附百千個，其中名號各各不同，隨業不同，地獄也就不同。你一念地藏菩薩聖號，這些地獄都空了。

「地藏菩薩告普賢菩薩言：仁者！此者皆是南閻浮提行惡眾生，業感如是，業力甚大，能敵須彌，能深巨海，能障聖道。」

前面說了很多地獄，這些地獄是怎麼形成的呢？其實是沒有的，閻羅王、這個鬼王、那個鬼王都是你的心所變現的，因爲業的緣故。所以普賢菩薩問的時候，讓末法眾生，知所畏懼，不敢造罪、做壞事。做壞事會感一定的果報，所感的是什麼果報呢？地藏菩薩告訴他了，上面所說的那些都是南閻浮提做惡眾生所感的業。我們一聽到業就覺得是個壞的名字，並非如此，業包含很多，像做工業、做學業都叫業，看你做什麼，但是你如果做惡了，那就是惡業。

「仁者」是地藏王菩薩尊稱普賢菩薩。業就是因，感的果就是地獄，這裡只說惡，要是念佛行善的，那麼所感的果就到淨佛國土了。這裡為何只有閻浮提，沒有別的地方嗎？也有，因為釋迦牟尼佛在閻浮提行教化！而且只有閻浮提眾生的性識無定，心性變來變去；面對客觀的現實，外面境界相一逼迫就變了，中國古時候講氣節，做人要有人格，不能在威勢、利誘之前就屈服了，這就是性識無定。

一個人在生活當中必然要遇見很多事情，遇到很多的客觀現實，但是不能在勢力之前被嚇唬，沾到一點苦痛就受不了了，就造惡了；這絕不行。信佛之後，佛菩薩叫我們怎麼做，我們應當堅定，但在做的當中會遇到很多痛苦，與現實生活中有些違背，這時候你受不了，隨著現實生活而變，明知不對也無法抗拒，還隨著去做，這叫性識無定，所感的果也就不同了。之所以沒有提到十方法界，光指閻浮提，就因為這個世界的眾生性識無定，造惡的多。

有沒有信佛的還是去造罪的呢？假藉佛教，以信佛為幌子去做惡事，還是有的。這就是說，他性識不定，時做惡，時做善，而這只是一生當中；何況這輩子過去了，下輩子又迷惑了，又不知道到哪一道去了，自己也做不得主了。在做得了主的時候，名聞利養，爲物質所趨的時候，就放失自己的善念去做惡業了。這個業的力量非常之大，大到能跟須彌山對抗。最大的是「能障聖道」，聖道就是你發心要了生死，要脫離苦海，但這個業給你障住了，使你脫離不了。但現在學了《地藏經》修地藏法門，《地藏經》告訴我們，你要到哪裡去？覺得有危難，念一萬聲地藏王菩薩聖號，就可以把苦難免除了。

有一種障就是過去的業障，障住了，什麼都不信，我念一萬聲聖號有什麼作用？這是第一種不信；或至誠懇切的念一部《地藏經》，你就消災免難了，而且在十齋日每天念一遍，就是一個月念十遍，你周圍百里都能清淨，但是力量不夠，爲什麼呢？因爲你不信，不信什麼力量都沒有了，力量是建立在信的基礎上，一邊念一邊懷疑，效果就低得多了。

有人問：「求佛菩薩加持不靈，怎麼解釋？」我說：「不靈是你不明了，你要是明了就靈。」他不懂，我說：「明要信、願、行，你不信又不去做，又不發願，那就不靈了。」這叫不明，不明就沒有智慧，沒有智慧就黑暗，因為黑暗的關係，你什麼也看不見，不知道怎麼做才好，雖然地藏王菩薩告訴我們怎麼做，但是你不去行，想求感應，恐怕沒有感應；誠不誠自己知道，你在念一部《地藏經》的一個鐘頭中間有好多妄想，絕對至不了心，偶而相應一回，少打點妄想，要是這一個鐘頭其他念頭不起，隨文入觀，那就絕對靈。

發一個慈悲心，大慈悲心做的善事，不管現實生活怎樣的不如意，迫害愈大、善果愈大，要堅定這種信念，儘量做好事，不但不障聖道，還順著聖道早日完成。

因為我們現在不明，看不清楚，因此覺得做好事不易，做惡事也不會受報。這個世界還能生存嗎？不會的，做好事的還是多，好事也是業，這個業力不障聖道，所以業力有二種，但是你做的業力不大，善也不大，惡也不大，這屬於第三種善惡無記，善惡都不很大，牽不動業的，這裡所指的業力完全是指行惡業眾生所造的業力。

「是故眾生莫輕小惡，以為無罪，死後有報，纖毫受之，父子至親，歧路各別，縱然相逢，無肯代受。」

這是勸戒的意思。前面說業力很大，造了業之後逐漸增長，就像買房子貸款，壓你好幾十年，看你貸多少，借一倍得還三倍，但是你在這裡造了惡業，要加上十倍償還，善業也是加上十倍報償你，因此一切眾生莫輕小惡，不要說一點點小罪沒有關係，你要是消不了，這些小罪就變大罪了，而且到地獄裏受苦的時候，你得加倍償還。

在這段經文上是講事，我這裡是講理。在事上說，不要因為小惡你去做，不要因為小善你不去做，死後果報算起來一點都不失，乃至像一根線、一根針、一粒沙、一滴水都不失，纖毫端就是像一根毫毛的尖上面的罪，你都要受的。古人劉備死時囑咐他兒子劉禪，只說兩句話：「勿以善小而不為，勿以惡小而為之。」不要因為這是小善而不去做，也不要因為這是小惡而去做，這和經上所說是相合的，不要輕忽小罪，時間愈久，罪愈加重，有利息的，因爲你沒有懺，如果你懺悔了，這個罪就輕了。「父子至親，歧路各別。」假使說他父親造的是善業，生天堂了，兒子造了下地獄的業，這兩者的路線不同，善惡業的界也不同，一個生天界，一個下地獄界，怎麼會遇到呢？「歧路各別」就是兩條路不同，即使相逢在各受各的業中間相逢了，「無肯代受」，當然受天堂那個業，他不肯下地獄去代他，也不能代替的，而且是不相遇的。

「我今承佛威力，略說地獄罪報之事，唯願仁者暫聽是言。」

普賢菩薩不是請地藏菩薩說？他說：「我啊！現在仗佛的加持，略微的把地獄受苦的罪報說一說。」這是說果的事，前面說因，做惡業的業因，一定要感地獄的業果。「唯願仁者暫聽是言」，是地藏王菩薩向普賢菩薩說的，「希望能聽我說一說」。

「普賢答言：吾已久知三惡道報，望仁者說，令後世末法一切惡行眾生，聞仁者說，使令歸佛。」

普賢菩薩答說，三惡道報我早已知道了，我之所以請你說，是說給末世的衆生，就是前面說行惡業的衆生，使他聽到仁者這麼一說，生起了一個怖畏感、懺悔感，能令他皈依佛法就可以脫離苦難，不會再做惡。

不過也有少數做惡的不信因果，不肯學習的人，縱使入佛門了，也不學佛法，不照佛所說的去做，這樣怎能得到好處呢？皈依佛之後就要做佛事。

「地藏白言：仁者！地獄罪報其事如是。」

這是承以前的問答，現在說一些地獄名詞，有些是重覆的，有些則不同。

「或有地獄，取罪人舌，使牛耕之；或有地獄，取罪人心，夜叉食之；或有地獄，鑊湯盛沸，煮罪人身；或有地獄，赤燒銅柱，使罪人抱；或有地獄，使諸火燒，趁及罪人；或有地獄，一向寒冰；或有地獄，無限糞尿；或有地獄，純飛鍱鑗；或有地獄，多攢火槍；或有地獄，唯撞胸背；或有地獄，但燒手足；或有地獄，盤絞鐵蛇；或有地獄，驅逐鐵狗；或有地獄，盡駕鐵騾。」

一共有十四種，這是地獄的受報。拔舌，如果拿人舌來想就錯了，我們的舌頭拿出來再讓牛掛了犁上去犁，哪有那麼大的，恐怕舌頭還沒有犁杖大呢！不是這樣的，是化現的境界。你過去所做的業，那個因跟這個果是相符合的，因爲在果上受的時候，就不是你現在的這個肉體！肉體也化了，身體是化身，隨業所化，也就是你業所現的，閻羅也是你業所現的，獄卒也是你業所現的，受報也是業所現的。

爲什麼說拔舌地獄呢？到這個地獄去受罪，要受三劫，時間不長。這個舌頭拔出來是多大呢？四百由旬，一由旬是四十里，你周身的痛苦就變成一個舌頭了，多少部犁頭呢？四面來犁，一千四牛在四面來犁這個舌頭，犁化了痛苦完了，一化現又成長起來了，但是你這舌頭拔出去跟你的身是連著的，你感覺有這種痛，這是拔舌地獄。

夜叉食心，這個罪人命終之後，他到刀山箭樹裏，這裏有夜叉先把他的心勾出來吃掉，吃完了一勾、一化現又成長，只覺得撕心的痛苦，就在一夜一日之間，五百億生死；一夜之間恐怕不是人間的二十四小時，地獄的一日一夜，要經過五百億生死，羅剎不停的叉出罪人的心，死了又活、活了又死。

第三個是鑊湯地獄，還有十八種情況，也有油鍋炸的，也有開水煮的。這是在《觀佛三昧海經》佛跟阿難說的，《地藏經》上沒有說那麼詳細，只說個名字。

第四個是赤燒銅柱，銅的柱子裏面是火，燒紅的，使罪人抱，他自己要去抱，業障使然。明明是苦事，他看好像是好事，業感使然，想不去也不行。地獄報的都是你自己的業感。

「仁者！如是等報，各各獄中有百千種業道之器，無非是銅、是鐵、是石、是火，此四種物眾業行感，若廣說地獄罪報等事，一一獄中更有百千種苦楚，何況多獄！我今承佛威神及仁者問，略說如是，若廣解說，窮劫不盡。」

這是指地獄受刑的刑器，我看人間也差不多。世間上的事，假的就是眞實的，地獄是假的，但你做的業是眞實的，因爲有了眞實業就有眞實的現象，有眞實的現象你就覺得苦。這個懲罰是誰懲罰的呢？你自己懲罰的，但不說地獄，我們說是石、是火、是銅、是鐵。我個人的想法是，當大家想不通的時候，思想難過就像火燒的一樣，有些人難過時抓胸口；好比喝醉了，裏頭燒得不得了。我曾經歷過一件事，有人請我給他消災，他是怎麼死的呢？他喝酒喝醉了，裏面的火很大，他要燒煙，一燒，肚子起火，就這麼燒死的，這不是自己做業嗎？類似這種火、石、銅、鐵！你自己可以感覺得到，當你煩惱或受氣，那口氣出不來就像石頭壓著心口。還有做夢時，當手放在胸口，你覺得氣出不來，或夢見東西壓到你氣出不來，這就是受罪。所以人在人間已經漸漸受到地獄罪了，誰叫你受的呢？明知酒喝多了不行，爲什麼偏要喝？明知吸食毒品，人就毀了，爲什麼還有那麼多人吸呢？沒有人吸就沒有人種，也沒人販毒了，這都是業，衆業所感。很多業感成這個果，所以必須得受。

地藏王菩薩只是略說，若廣說，地獄罪報多得很，我們怎麼知道很多呢？因爲人間的壞心眼、壞主意多的很，我想誰都承認有過壞主意，有沒有不慈悲、生氣的時候？對待自己的子女或最好的朋友或夫妻、父母，當恨心來了，什麼心都生起來，這類的業實在太多了，所以地獄也就多了。

地藏王菩薩跟普賢菩薩說，「我現在承佛威神以及仁者你問的事，我略說這樣，要廣解說窮劫不盡，就是說一劫也說不完。」第五品說地獄，說的是果，第四品是說因，衆生的業感，感到這些地獄，還要有緣，沒有緣，那些業因還不能成就，這些地獄的刑具，鐵的、石的、火的，就是緣。

如來讚歎品　第六

這是讚歎地藏王菩薩的功德。像地獄這麼多，衆生這麼多的業因、業緣而成就那麼多的果，地藏王菩薩不捨離這些地方，不捨離這些衆生；在處所上即地獄，在時間上即無量億劫，不可計數的時間，去救度這些衆生，因此佛就讚歎他。

「爾時，世尊舉身放大光明，遍照百千萬億恆河沙等諸佛世界，出大音聲，普告諸佛世界一切諸菩薩摩訶薩及天、龍、鬼神、人非人等：聽吾今日稱揚讚歎地藏菩薩摩訶薩，於十方世界現大不可思議威神慈悲之力，救護一切罪苦之事。」

佛每逢講經，或一有加持，或有什麼因緣發生，都用「明」來表示。明者，代表智慧。「爾時」，就是在地藏王菩薩向普賢菩薩說完地獄名號的時候。佛是法會主，他就舉身放大光明。「舉身」是全身之意，四肢百骸，乃至於牙齒、眉毛。佛經常放白毫相光，這個光明放出來能普遍的照耀「百千萬億恆河沙等諸佛世界」恆河有好多呢？有百千萬億這麼多恆河。每一恆河有無量無數的沙子，每一沙一個佛世界，那麼諸佛世界就多了，光明所照的處所就有這麼多。光中出音，光到了，音聲也到了，這個音聲說向諸佛世界，十法界乃至於一切諸菩薩摩訶薩，天龍鬼神人非人等。說什麼呢？「聽吾」即釋迦牟尼佛，「今日」就是在忉利天法會那天，稱讚地藏王菩薩摩訶薩的功德，他在十方世界能現出不可思議的威神，不可思議的慈悲力量。

「吾滅度後，汝等諸菩薩大士及天龍鬼神等，廣作方便衛護是經，令一切眾生證涅槃樂。」

佛說《地藏經》是將近涅槃了，從忉利天下來後不久就涅槃了，所以在《地藏經》中處處都說「吾滅度後」。

釋迦牟尼佛的囑託太廣了，囑託諸佛世界，哪些佛世界呢？百千萬億恆河沙等諸佛世界。囑託這些世界的一切菩薩摩訶薩，還有天龍鬼神人非人等，讓他們想一切的方法廣作方便保衛護持《地藏經》，讓這部經永遠住世，讓一切衆生都知道這部經，照這部經去學，如是受持、如是讀誦，能證得涅槃的快樂，能成佛，能得度。從這一段經文就知道《地藏經》不是小乘的。從上一品普賢菩薩請問，大家知道普賢菩薩是《華嚴經》的當機衆，普賢菩薩在《地藏經》也是發起人，最初文殊師利菩薩也是發起人，觀世音菩薩、普廣菩薩、虛空藏菩薩這些大菩薩都來維護這部經，不只如是，這一段經文說佛囑託的百千萬億恆河沙那些世界的諸大菩薩大士，包括天龍鬼神，這等於是讚歎《地藏經》的功德。

「說是語已，會中有一菩薩，名曰普廣，合掌恭敬而白佛言：今見世尊讚歎地藏菩薩有如是不可思議大威神德，唯願世尊爲未來世末法衆生，宣說地藏菩薩利益人天因果等事，使諸天龍八部及未來世衆生，頂受佛語。」

這段文字是佛叫一切諸大菩薩來衛護這部經，普廣菩薩就發起了，他是這一品的當機衆，「普」是遍的意思，從他所修道德行爲發出來的智慧瀰遍虛空，遍滿法界的就叫「普」，再從他的智慧中引導他所修的行門，成就他自己乃至於一切衆生，充塞法界就叫「廣」，這個菩薩和普賢菩薩是同等的，是究竟的法身大士，這個當機衆的道德智慧相當深厚的，所以他來維護《地藏經》。

他說：「佛讓我來維護，但佛得把地藏菩薩過去所做不思議的威德神通說一說，才能使末法衆生生起信心。」這段話就是這個意思。「合掌恭敬」就是請法的意思，向佛說，「我聽見佛讚歎地藏王菩薩的不可思議的大威神德，唯願世尊爲未來世末法衆生廣宣流傳，好使人天都能得到利益，使天龍八部及未來世衆生頂受佛語。」

「爾時，世尊告普廣菩薩及四衆等：諦聽！諦聽！吾當爲汝略說地藏菩薩利益人天福德之事。」

每次面對請法的大衆，佛都要囑託一句：「諦聽！諦聽！」菩薩與菩薩之間是平等的，互相尊重，不論哪個佛世界的菩薩，到了佛面前，都是弟子，只要到了法會都是佛的弟子，因此在印度、在西藏，凡是來到這個法會，哪怕只聽一句，也算接受他的法了。例如我講，宏覺法師聽，他是弟子；他講，我也聽，我也是他的弟子，這是尊重法故，不是針對人。

在西藏看見大德傳完灌頂之後，如果，有一法這位大德沒有，在法會的另一位喇嘛活佛有，這位大德會反過來向他求法，請他說，這叫互為師徒，都是尊重法故。印度的婆羅門也如是，但是要說法，一定得陞座，這也是尊重法故，不是對人。

這時佛就應普廣菩薩之請，佛說：「你請求，我許可給你說，但你要諦聽！諦聽！」。「聽」就是聞，「諦」就是如是的聞，反聞聞自性，聞自己的心，如是的實際理地，一切法都是如心上去契入，性中去聞。

華嚴字母裡，四十二字妙陀羅，字字所包含的義理很多，每部經的一偈一句乃至一字包含的義理都很多，一字法門，海墨書之不盡，把大海都當成墨汁來闡釋一個字，把這墨寫完了，都還說不完，這就是諦。聽即聞的意思，一講到「諦聽」就是聞自性，這是就理上講，就事上講說你要好好的聽，注意的聽，聽完了要去做。

對普廣菩薩說「諦聽！諦聽！」，就是聽完了，要好好的去維護這部經。我對這部經略說一下，不是廣說，廣說是說不盡的，說什麼呢？「利益人天福德之事」。這全是事，不是理，利益一切衆生，使衆生增福增慧，佛教講智德、斷德或解脫德、般若德、法身德，都講「德」，「德」是什麼意思呢？德者證得之意，你修行的道業由德與心，打個坐、聽一部經、誦一部經或持個咒，持到心相印了，有所得，即領會到了，或相應了，念念就開了智慧。無論哪個咒，能念得體會到經或咒的意思，就是得。這段經文是就事上說的，地藏王菩薩給人天衆生做好事，人界、天界是代表性的，代表了地獄、餓鬼、畜生、阿修羅，這裡舉了兩道，爲什麼菩薩不說四法界呢？因爲上面的德和這個得不同，上面的德就是前面講的行道由德以心，這裡是指世間上的事，是在六道輪迴轉的意思。

「普廣白言：唯然，世尊！願樂欲聞。」

當機衆普廣說：「是的，佛所教導的，我絕對遵守。」即「唯然」的意思，誠信而且執行的意思，我願意高高興興的聽，「願」者就代表諦的意思，發願求法，發願去做，發願去護持這部經。

「佛告普廣菩薩：未來世中，若有善男子、善女人聞是地藏菩薩摩訶薩名者，或合掌者、讚歎者、作禮者、戀慕者，是人超越三十劫罪。」

這是供養得福的，大家可能想，供養一定要買點香，買點水果、香蠟或供品飲食才算，你們不知道，合合掌就算供養了，至於讚嘆地藏王菩薩對於衆生利益很大，福德很大，衆生得了好處，很了不起，就像我們稱讚人很了不起，很聰明，這是讚歎；作禮更深一點，就是磕頭，見了地藏的像，或聞到地藏菩薩的名，聽到名你就磕頭，沒見像也磕頭，見了像捨不得走。

「戀慕者」就是在那裡留戀著看不盡，我們有時也對地藏像留戀不捨。在五台山殊相寺裏面的文殊師利菩薩眞是不可思議，佛學院的學生去朝五台山時，大家在文殊菩薩像前站了十幾分鐘才走，也有站一兩個鐘頭，有兩、三個人站了兩、三個鐘頭，這是什麼境界呢？我所聽到的這尊像和普通的像不同，據說這尊頭像是麵做的，塑像的人正在和麵時，文殊菩薩現身了，他拿著麵看著文殊菩薩就揑，文殊菩薩的像隱了，麵做的頭像也做好了，就安到那尊像上，因爲這位塑匠塑這尊頭像很久，塑完了又取，取完了又塑，永遠塑不好，等文殊菩薩現身他塑好了，現在有五、六百年歷史了，但是這尊像還是麵相。這尊像還有一個特點，那座殿已經壞了，下雨漏水，到處都漏，只有頭部沒有，我去是那樣，後來政府撥了款修的，現在大家再去，殊相寺是塑好了，立像很高有三人高，站在那裡看相，這叫留戀。

我們看一尊佛像感覺很好，自己心裏很感動、捨不得走這叫留戀。這個留戀是仰慕而不是執著，千萬不要執著，知道這是假的，明明知道這是塑的像，不是文殊師利菩薩，但是假的代表真的，你認為是真的，他就是真的，認為是假的，他就是假的，這就是心的作用。

凡是作禮得讚歎，戀慕的超越三十劫罪，你三十劫造的罪一下子就消失了，就是這麼合個掌，讚歎一下戀慕一下。看見地藏像，很感動，很激動就能超越三十劫罪。如果天天念《地藏經》，天天稱地藏聖號，該超越好多劫罪呢？後面第九品說，乃至於稱佛名號，有的超越四十劫罪，有的超越三十劫罪，也有的聽了這麼多佛號，直至成佛，絕對能證得大般涅槃。全經都聽下來，又能受持，而且一定要信。

我們所缺乏的是，信不堅定。之所以不靈，是因為信不具足，現在應當培養信，信到究竟了，自己就是地藏王菩薩，地藏王菩薩就是自己；但是我這尊地藏王菩薩需要另一尊地藏王菩薩加持我，地藏王菩薩顯現與我這個地藏王菩薩合而為一了，有這樣的信心就能證入十住、十行、十迴向、十地乃至於等妙二覺，直至成佛。

「普廣！若有善男子、善女人或彩畫形像，或土石膠漆、金銀銅鐵，作此菩薩，一瞻一禮者，是人百返生於三十三天，永不墮於惡道；假如天福盡故，下生人間，猶爲國王，不失大利。」

這都是說像。自己塑像，不論是什麼材料做的地藏像，在那裡瞻仰禮拜，「一瞻一禮者」，一邊瞻仰一邊磕頭得到什麼好處呢？生三十三天生一百次，就是天上人間，人間天上往返，但不墮三塗，三塗永遠消滅，永不墮惡道。假使你眞正的信佛，說的話不假，那麼你就永不墮三塗了。三十三天生了一百次以後，天福受盡了到人間，也不失大利，還是做國王。

這個利益很大了，投資這個，比投資別的，像花一元買一個樂透獎，得了幾十萬幾百萬還大，因爲那個錢一用就完了，或一死什麼也帶不去。這要用什麼去投資呢？用信仰力來投資，眞誠的信，可不是敷衍。但是要發願，把這個瞻禮地藏王菩薩的功德發願成佛，發願利益衆生，莫發願生天。發願到淨國土，或發願到極樂世界，地藏王菩薩也接引你，送你到極樂世界。

把你誦《地藏經》的一點善業，全部迴向給利益衆生。但是利益衆生得有方便善巧，地藏菩薩我恭敬你、供養你、讚歎你、學習你，我就要利益衆生，爲什麼呢？爲了成佛。爲什麼成佛？爲了利益衆生，讓一切衆生都成佛，讓成了佛的一切衆生又去利益衆生。

造像不論用什麼材料，功德是一樣的，莫起分別心，不管金的、銅的、鐵的、泥巴的都一樣，看你自己的力量。這上面只說了八種材料，土、石、膠、漆、金、銀、銅、鐵，像我說的和麵就沒有了，還有木頭、紙的呢？都是一樣的，材料的關係不大，功德是一樣的。

《造像功德經》裡講，造佛菩薩形像有十四種功德，就是我們今生造像了，以後就是下輩子，下兩輩子、下三輩子乃至很多生中眼目淨潔，面貌端正，身體手足常好柔軟，那你就很有福。生於天上，亦復淨潔，在天人之中，你是最殊勝的，眼目面貌比其他天人要好，生於人中更不用說了，這是第一種功德，即相貌圓滿。第二種爲所生之處無有衆惡，你生的地方見不到惡的事情，身體六根圓滿，六根就是眼、耳、鼻、舌、身、意，相貌端嚴，死後得生第七梵天，生到梵天，也超過其他梵天，你所感的身體比餘天還要好，天人都尊敬你。

第三種或塑了佛像，或印了佛像，從這一生算起，後世所生爲尊貴家，貴即有地位，尊貴之意。往往有這種情況，這個家族很不好的時候他不生，等他生了之後，這個家族就變得很好了，有地位有勢力，一個人的福德帶給這一家人，他絕不會生到貧窮困苦的地方，這是第三種功德。

後世所生，身形殊妙，紫磨金色，這是指印度當時的情況說的，印度人以黃色爲最尊貴，但紫磨金色不是淡黃的而是深黃的，印度都講紫磨眞金，《楞嚴經》上說佛的身像紫金光具，是形容端正無比，常爲衆人所敬愛，這是第四種。

第五種爲後世生處常在富貴之家，財產珍寶不可稱數，前面說身世尊貴是地位，這是說福，不論生到那個世界、那個國土，所有財富世間所尊貴的，他家裏都具足，不論生到那個世界、那個國土。

以下專說閻浮提，假使後世生到這個苦惡的世界，我們這個世界是罪苦的，什麼叫娑婆呢？叫堪忍，這個世界衆生能忍苦，我們經常標榜中華民族能忍苦耐勞，以爲很了不起，其實這是沒有福德，沒有智慧的表現，到了極樂世界根本沒有苦，你忍什麼苦？所以如果生到閻浮提中，常生帝王公侯，賢善之家，不生到暴君之家，這是第六種。

第七種，後世得尊帝王，勝諸國王，當爲衆王之所歸仰。第八種，後世得做哲迦羅王，即鐵輪王的意思，天下諸王臣屬之。第九種，做著伽越王，即銅輪王，飛行天下，掌管兩洲。第十種，生到閻浮提做了國王，又死了，死了生梵天，梵天的天人壽命一劫，智慧尊勝無比。第十一種，所生處常爲父母之所愛寵，壽終得生爲天上，天上人間，人間天上，反反覆覆。

第十二種，死後不墮三塗，凡是造過佛像的，不論那尊佛像，不但不墮三塗，生到人間能知宿世因果，常遇見佛，還是做三寶弟子，往後不論生到什麼地方都能有佛法，尊重佛經。這個最好，如果沒有佛法，生到尊貴家庭又有什麼用呢？福報總有盡的時候，有佛經就長時有智慧。

第十四種是做佛的形像，其福無量，無有窮盡的時候。這是總結，說你塑佛像，這個福德是不窮盡的，總使你增長，造佛像、印經有這些功德，這是略說。

但是很多人都造了像，出了功德，可是福報好像沒有來，有些人就會懷疑！其實是，福雖然沒有來，但禍已經遠了，這都是說未來而不是現世，因爲你現在造這些福，等於你種了種子，還要經過一段成熟的階段，就是這個涵義。

曾子說：「福雖未至，禍已遠之。」福雖沒到，做善的人，禍已遠了，做善的人心地總是和睦的。「積善之家，必有餘慶。」一定有餘福，造惡的人必有餘殃，造惡總是要受報的，但這與造地藏菩薩像有點不同。只要念他的名號，誦他的經典，一定得到他的加持，在〈感應錄〉中說得很多。

「若有女人，厭女人身，盡心供養地藏菩薩畫像，及土石、膠漆、銅鐵等像，如是日日不退，常以華香、飲食、衣服、繒綵、幢旛、錢、寶物等供養，是善女人盡此一報女身，百千萬劫更不生有女人世界，何況復受？除非慈願力故，要受女身，度脫眾生；承斯供養地藏力故及功德力，百千萬劫不受女身。」

以下幾段經文專說女人。供養了地藏王菩薩乃至於畫像，不論材料的，土石、膠漆乃至於木頭、紙，都可以，希望以後不要再受女身了。有人認爲如果沒有女人，這個世界的人種不都斷了嗎？不會的，好多世界清淨國土都是隨著福報的化身，在那個世界連女人都沒有。如果你不厭離，還要受女人身，那是爲了度衆生的關係。像這樣日日不退，天天供養地藏王菩薩，用花、飲食、衣服、繒綵，（繒綵是佛前掛的幢幡、寶蓋一類的東西），或是錢寶等物，例如拿錢、銅錢、紙幣供養，供了還是可以拿去用，只是恭敬心而已。這些善女人發願厭離女身，那麼你這一報盡了之後，就可以百千萬劫不受女身，乃至於都不生到有女人的世界。生到極樂世界沒有女人，在梵天以上也沒有女人，還不說是清淨國土；除非是慈願力故，就像摩耶夫人到這個世界上來生了釋迦牟尼佛，這是發願來，幻化的，是她的慈願力。

即使不厭女人身，覺得不錯，像中國有些富貴人家連飯也不用做，針線也不用拿，但有幾種苦脫不了，像大家讀《法華經》和〈大智度論〉都說，女身有五障，一、不能做大梵天王，因爲梵天沒有女人，梵天是清淨的，無染垢的，女人身體不清淨是不能到的；第二、不能做帝釋天，那是三十三天的皇帝，因爲帝釋天少欲，欲念少不是完全斷欲；三、不能做魔王，魔王福報很大，很剛猛的，爲什麼稱暴君爲魔王，因爲他非常剛猛，而女人是軟弱的，所以不能做魔王；魔王有天福沒天德，跟天作對的，但女人身連魔王都不能做；第四、不得做人間轉輪聖王，因爲轉輪聖王要仁慈，慈愛與人，女人嫉妒心太大，缺乏仁心；第五、不得做佛，因爲她煩惱很重。

「復次，普廣！若有女人，厭是醜陋多疾病者，但於地藏像前志心瞻禮，食頃之間，是人千萬劫中所受生身，相貌圓滿，是醜陋女人如不厭女身，即百千萬億生中常爲王女，乃及王妃、宰輔、大姓、大長者女，端正受生，諸相圓滿，由志心故，瞻禮地藏菩薩獲福如是。」

前面一段經文是講地藏王菩薩功德，普廣菩薩不是請佛說地藏王菩薩的功德嗎？佛就說，要是有女人厭女人身，只要一求地藏王菩薩，來生再不受女身，這是一種。如果不厭倦女身只是想長得好一點，讓人恭敬、尊重，這一段經文就是講不厭女身的。

又醜陋又多疾病，這就是業，宿世的業障。假使在地藏像前，至誠懇切的頂禮，「食頃之間」（吃頓飯的時間），指時間很短，所得的果報就長了，未來世千萬劫中，生生世世所受生的，不論生男生女，相貌都是圓滿的，沒有疾病。

假使這位醜陋的女人不厭女身，那她在百千萬億生中，「常爲王女」，做公主或王妃或宰輔大臣，或大者長女，相貌端正諸相圓滿，爲什麼得這個果報呢？因爲瞻禮地藏王菩薩的關係。「獲福如是」，所得的福德就這樣。

如果你生生世世想長得相貌好，這種女人人家見了都生尊敬心，沒有輕慢心，侮辱心；像做舞女、歌女、明星，大家還是輕慢她，現在平等一些，但還是不行，會拿她取笑，開心或找她麻煩。禮了地藏王菩薩而轉世的女人，則相貌端正，別人見了她產生一種畏懼心，不敢生輕浮，這是瞻禮地藏王菩薩的關係，是食頃之間的供養、禮拜和恭敬。

「復次，普廣！若有善男子、善女人能對菩薩像前，作諸伎樂及歌詠、讚歎、香華供養，乃至勸於一人多人，如是等輩，現在世中及未來世，常得百千鬼神日夜衛護，不令惡事輒聞其耳，何況親受諸橫！」

善男子善女人，加個「善」字，是因爲他能恭敬地藏王菩薩，所以稱爲善男子、善女人。能在地藏菩薩像前，你認爲你喜歡的事，乃至唱歌跳舞，在菩薩像前作揖供養都可以；買了新衣服，在地藏菩薩像前擺一擺，先供養菩薩，乃至於給小孩買的玩具都可以供養，任何事物都先供養菩薩，也不只是供養地藏王菩薩，應該念念不忘三寶，乃至於香華，經常供養，隨你的力量，一朵花也可以，但把這一朵花用意念觀想，一朵花代表全世界的花，都拿來供養地藏王菩薩，把你的心力變大，這是世間物的供養。

以下可以說是法的供養，也就是勸別人也這樣做，勸一個人也可以，勸多人更好，你的六親眷屬，認識的朋友，勸他買花先供佛，買新物品先供佛，乃至於飲食醫藥，在佛前擺一擺，都可以供，這是你誠心的關係。

「如是等輩」，就是這樣的人，用伎樂供養、香花供養乃至勸別人也信也供養。「現在世中」，就是講現實，就是你現在生中，有鬼神在你周圍擁護你，未來世中也有鬼神日夜擁護你，爲什麼呢？因爲你供養地藏王菩薩，也因爲這些鬼神在你周圍衛護著，「不令惡事輒聞於耳」，使你的耳朵聽不到、眼睛看不見，橫事、惡事，一切飛災橫禍你就不會再受了。

這段經文的意思就是勸你供養地藏王菩薩，能免一切的災難。還有七種好處，就是身體的相貌圓滿、吉祥如意，六親眷屬也都很吉祥，供養當然要讚歎，讚歎當然要禮拜，第一個禮敬，第二個讚歎，第三個才是供養，這三者是相連的。你只有禮拜，沒有供養，只受禮拜的福德，只供養沒有禮拜功德要小，既要歌詠讚歎、又禮拜又供養，福德要大一點。

禮拜時要注意，如果禮拜時很輕慢，懷著我慢心禮拜是不可以的，我的老師教我，絕不蹲擺拜墊，所以我們磕頭都是往地下磕。弘一法師說禮佛還要擺個架子，這叫我慢禮。還有一種，求名禮，是說我禮佛，將來得個好名聲，這是假修行，求名，求得人家讚揚。還有身心禮，身體在叩頭，心裡也在觀想，若心裡不觀想只是身體在禮拜，這種作用不大的。有人說，到了佛堂不能對佛像這樣直直看，認爲這是不禮貌，我當時解釋說，這個話是錯誤的，你不注意不觀想，你禮佛，禮誰呢？這是第一個。你心不至誠，有人心禮身不禮，有人身禮心不禮，你心不至誠，這就屬於身禮心不禮；要身心俱禮，心在觀想，口在持名、讚歎，身體磕頭，身、口、意三業清淨了。還有一種智敬禮，一切的垢染都清淨，智慧現前，我們不是聖人，但我們也這樣觀想，我能夠念《華嚴經》的偈子，一遍一遍的念，這就屬於智敬的意思

再深入就是遍入法界禮，這就是普賢的觀想，法界一切諸佛都有我在面前給他頂禮。我們有時候做不到，沒有觀想那麼遠，但如果觀想很正確，觀想「一實境界」，那就能相應了。《占察善惡業報經》裡不是講正觀現前嗎？正觀雖然做不到，修誠該做的到，誠心誠意的禮。如果心不誠時，不禮還好些，你心裡至誠懇切，就是無量禮，心裡胡思亂想，或你禮佛求名求利求發財都可以，但所得的加持利益太小了，這不叫誠心。要至誠懇切制心一處，不要胡思亂想的，但如果說我是想求什麼，那麼你得事先發願，面對佛像，一邊觀想一邊發願說，地藏王菩薩加持我，我今天禮拜菩薩，求什麼，把你要求的說出來，當你禮的時候，誠心至意的觀想菩薩聖像，沒有像就觀想地

藏王菩薩已經臨到你頭上了，或者觀世音菩薩已經在你頂上住著，這樣禮這樣觀想，你一作意，像就現前了。

最後這個禮就是《占察善惡業報經》的實相平等禮，我跟佛跟地藏王菩薩都一樣，平等平等，我禮佛就是禮我自己，禮十方三世一切諸佛菩薩都是禮我自己。

有一位老修行，他每天禮完諸佛，有三個頭是禮眾生的，向一切眾生敬禮，包括老鼠、蚊蟲都在內，都頂禮。因爲《華嚴經》上說，十方一切諸佛跟十方一切眾生平等平等；《法華經》上常不輕菩薩不是這樣嗎？見了眾生都作禮，我不敢輕慢汝等，汝等是未來諸佛，這叫實相平等禮，不是現在凡夫所得到，因爲我們這種觀想還不相應，你在供養禮拜的時候就起觀，心裡必須得想，這才能相應，如果你心裡不想，迷迷糊糊叩頭，迷迷糊糊供養，供個花擱那就是了，這不行，千萬不要我慢禮。

但是千萬不要聽我講了，到別人寺廟裡隨喜功德，或到莊嚴寺去拜藥師懺，把人家拜墊擺開說：「夢參法師講的，這叫我慢禮！」那麼你就給我揹了黑鍋，你隨衆時隨喜好了，心裡做如是觀想，我這是隨緣。我到那去也在拜墊上磕頭，有時候人家讓我主法就得磕，如果我跪在地上，學西藏來個磕大頭，大家恐怕都瞪著眼說我現怪像，給大家的印象不好。心裡知道如果在家中自己的佛像前，千萬不要擺個墊子，最好磕大頭，身心健康，一天磕一百個大頭，讓你多吃一碗飯，身心健康，氣不舒也順了。

「復次，普廣！未來世中，若有惡人及惡神、惡鬼，見有善男子、善女人歸敬供養，讚歎瞻禮地藏菩薩形像，或妄生譏毀，謗無功德及利益事，或露齒笑、或背面非、或勸人共非、或一人非，或多人非，乃至一念生譏毀者。」

「譏諷毀謗」，這就是自己不信，還毀謗別人信的，或看見別人稱地藏菩薩名號，看見別人念經而謗毀，這些人就是惡人；不但人有惡的，鬼也有謗毀的。看見善男子善女人皈依供養地藏王菩薩或讚歎禮拜，或見他誦經，鬼神就來惱亂，有人不知道是鬼神開玩笑來做阻礙，而錯認爲供養、禮拜等，不但沒有功德，還妄生譏毀。好多的親人，你要特別囑咐，使他們不要生毀謗，說你拜那有什麼用，能得什麼好處，說很多的風涼話，譏諷話。「露齒笑」就是大笑，張開嘴笑，或當面說或背著你說；或一個人毀謗或勸多人共同毀謗。「乃至一念生譏毀者」，是說不需要很多念，你心裡動個念頭就這樣生譏毀了。

在末法時代，清濁不分，什麼叫清淨？什麼叫愚癡黑暗？各走各的道，有些人認爲很聰明，在佛教徒看來卻是非常的愚蠢，本來一言一行之間也能積很大的功德，而他不去做，只撿沒有利益的去做。你對別人做的事不隨喜不讚歎就算了，有的還謾罵諷刺，你說這對你有什麼好處，但是未來的果報就太多了。甚至於把地藏像丟到廁所，或看見別人禮拜，反生起瞋恨心，不曉得多少劫，不可思量的劫數的果報等在前頭。

大陸上燒佛像拉佛像，你說不靈，我跟你們說一件聽來的事，北京法源寺，現在是佛學院所在地。文化大革命期間，正拉大佛像的時候，當時拉的繩子崩的一斷，好幾個人腿摔斷了，還有人在上面踩佛像的腦殼，一個倒跟斗就翻下來了。我這是聽說的，因爲當時我在監獄，離北京還很遠，我到北京時他們告訴我的。還有一個例子是在寺廟燒佛經，有一個中級幹部，他家裡同時也火燒房子，眞的不可思議。在寺廟裡帶著人燒佛經，有人告訴他說：「你家燒火了！」他就顧不得這裡，回家救火去了，但也來不及，家也燒光了。這不是佛菩薩報復，佛菩薩沒有這麼多瞋恨心，那是護法神乃至自己所感的果。我說：「他還是有善根的，現世現報還好一點，還有未來無量劫，受無量劫長時間的痛苦。」這上面說有些惡神，惡神爲什麼毀謗呢？因爲你要是超出三界，他就管不了你，要是還在三界之內就是他的眷屬。因此，如果信佛的多，拜地藏王菩薩的多，他的眷屬就會愈來愈減少，所以他生起謗毀，設下種種相障礙你，嚇唬你，使你退心，所以你要堅持。但是又有護法神、善神在跟前，他也不能爲害，只是受這個果報。就這麼一念，一個謗毀。

「如是之人，」

就是未來世像這樣的一切惡人，他這麼輕輕的一謗毀，不是很長的時間，輕微的謗毀，所感的果報是什麼樣子呢？

「賢劫千佛滅度，譏毀之報，尚在阿鼻地獄受極重罪；過是劫已，方受餓鬼，又經千劫，復受畜生，又經千劫，方得人身。」

賢劫的千佛都滅度了，他還在地獄裡，就是譏毀這個果報還在地獄受苦。現在這個世界是在住劫當中，這個住劫當中有二十劫，增二十小劫，減二十小劫，一增一減，在這當中即賢劫千佛出世。現在是釋迦牟尼佛過去了，彌勒佛即將要降生在這個劫當中。

必須在增劫的時候，彌勒佛才降生，降到人間，減劫時沒有佛，增劫時有佛。這個中間有千佛住世，我們這個劫，千佛都過去了，叫賢劫。說這個時候是賢劫，他謗毀別人禮拜恭敬讚歎地藏王菩薩，這一謗毀，等賢劫都過去了，還在阿鼻地獄，受極重的痛苦，過了這麼長的劫，離開地獄還要受惡鬼，在惡鬼道受了千劫的痛苦後，又經千劫做畜牲，我們看見馬牛羊雞犬豕，乃至老鼠蚊蟲都叫畜牲，又經千劫方得人身，就是譏毀的報，要受這麼多的周轉，這麼多的苦難，才能回到人身，才能爲人。

「縱受人身，貧窮下賤，」

雖然轉到人身，給人當佣人，受苦，而且總是貧窮的，吃這一頓沒有下一頓。

「諸根不具，」

有些人生下來就殘廢或啞巴、聾子。現在的業報眞是千奇百怪的，我還聽到一個當醫生的弟子說，有的小孩子生下來沒有肛門，不能解大便，到醫院開刀治療也沒有辦法，他沒有直腸，這是生理的缺陷。雖然受了人身，諸根不具，或者四肢殘缺，或是聾子、瞎子，啞巴就是舌根不具。

「多被惡業，來結其心，」

他想的盡是壞點子，不會想到好的，因爲心裡想的不好，做的事都是惡業。

「不久之間，復墮惡道。」

又回三塗去了，剛一轉人身，諸根不具，後來又回惡道了，這是譏毀的罪過。

「是故，普廣！譏毀他人供養，尚獲此報，何況別生惡見毀滅！」

要是毀滅經或是毀滅像，那個罪報就更重得多了，只是譏毀別人供養禮拜稱讚，像風涼話、俏皮話、挖苦話就要受這樣的果報，如果像我說的毀滅經典，那個惡果更長了。

「復次，普廣！若未來世有男子、女人久處床枕，求生求死了不可得。」

這就是害病，那個病或者半身不遂，腿腳不能動，生活不能自理，這種現在特別多；只能待在床上，活著一點興趣都沒有，求死死不了，這叫活受罪。很多人想死，怎麼死？現在不是說有所謂的安樂死嗎？給他打個麻藥針，使他免受痛苦，讓他早點走了，是不是這樣就解決問題了？不行的，該他受的沒有受完，再來再受，報是躲不掉的，頂好還了他，還了還好一點。

「或夜夢惡鬼乃及家親，或遊險道，或多魘寐，共鬼神遊，日月歲深轉復尪瘵，眠中叫苦慘悽不樂者。」

「眠中叫苦慘悽不樂者」，這都是指夢境睡眠當中，總是夢見惡鬼，或是你的六親眷屬，或走很危險的道，走在山邊、懸崖，或前頭一條大河擋住，或夢見掉到河裡，或夢見有什麼黑東西壓在心口喘不過氣來，急得一邊叫喚，這是魘寐。

「此皆是業道論對，未定輕重，或難捨壽，或不得癒。男女俗眼不辨是事，但當對諸佛菩薩像前，高聲轉讀此經一遍，或取病人可愛之物，或衣服、寶貝、莊園、舍宅，對病人前高聲唱言：『我某甲等，爲是病人，對經像前捨諸等物，或供養經像，或造佛菩薩形像，或造塔寺，或然油燈，或施常住。』如是三白病人，遣令聞知。」

他過去的業報在那裡衡量他的罪業，是輕是重還沒有判壽命盡了還是沒有盡，還未定，未定之間先受這個報，很難捨壽。

「難捨壽」是不能死，很多的植物人倒在床上不能動，家裡親人總捨不得，活著還是比較好，得照顧他。

「男女俗眼」，我們這些人都是俗眼，沒有智慧，不知道是什麼原因。怎麼辦呢？上面說的這些方法都有解決的辦法，佛跟普廣菩薩說，地藏王菩薩就有這麼大的功德，只要把《地藏經》念一遍或稱一萬聲地藏王菩薩聖號，修智慧，修福德，要是修了福，修了智慧，這個業報就轉了。在佛菩薩像前，也不一定是地藏王菩薩像，或者在釋迦牟尼佛像前、觀世音菩薩像前，轉讀此經一遍，把《地藏經》誦一遍就好了。我們要是害病，有些人頭痛腦熱，傷風感冒，吃點藥就好了，有些頭痛不是吃藥好的，對照前面就可以知道了，那得藉法力，藉諸菩薩的加持力。

佛在琉璃大王殺釋種時就示現頭痛，像那種頭痛，吃藥好得了嗎？吃藥好不了，連佛尚且如是，要還這個報的。過去琉璃大王在多生多劫之前是條大魚，釋種是一個部落，這一條大魚，讓海送上岸來，釋迦牟尼佛沒有殺，但小孩子拿根棒子去敲那條魚的腦殼，這個部落的人就吃這條魚，魚沒死割著吃，吃了好多天，把魚吃死了，等琉璃大王殺釋種報復的時候，來討債了，因爲釋迦牟尼佛敲過他的腦殼，所以佛的頭也痛，釋迦牟尼佛就說這個因緣。你做了惡的因緣永遠不得消失的，怎麼樣才能消失呢？修行轉讀此經一遍！誦一遍《地藏經》，地藏王菩薩的加持力，他發的願力，你的業障就漸漸消失了，你要多誦幾遍。

害病的人最喜歡的是什麼，衣服或是戴的耳環、項鍊、手錶、鐲子等，反正他愛的東西，把它變成錢，或者他不能動了，替他在佛像前迴向，把這些東西或者變成錢，就把這些東西供養菩薩，供養大家。

只知道供養佛，還有法寶、僧呢？凡是經典所在之處就是三寶所在，對經書要特別慎重，我們只知道供養佛像，對經書就不那麼慎重了。有些道友拿著經書不尊重，我看見一位老居士好多年了，永遠是這樣，每次上課永遠兩手捧著經，恭恭敬敬的，在他家也一樣，他在北京時辦北京居士林，這位老居士很不得了，對法寶特別尊敬。

我們對法寶的所在地一定恭敬，這一點我在和大家共同學經的時候就說過了，我念義淨三藏法師的詩，念過好多次了，這就說明經的重要。所以供養經也是一樣，你把這位病人可愛的物品捨了，來供養經像，或者造佛菩薩形像。如果造不起，共同造像時你參加一份，都可以，或者貴重的像造不起，紙像該造得起，印十張、二十張，或造塔寺。有錢那就修個塔，或修個廟，錢少則供養一座油燈，佛前供養一盞油燈，不一定要香油，酥油、麻油，什麼油都可以，但有氣味的不要供，清油也可以。

或者把錢供養寺院，不要供養小廟，一位和尚的廟，那不叫常住，和尚多的廟，和尚來都能住，不論是中國、外國，隨便哪一個國家，只要是三寶的出家人都能到廟裡住，這叫常住。常住是萬年常住的，永久住世的，你把病人的物品供到廟裡，沒常住的，就找僧人多的廟去供養也好一點。但這樣一回不行，如是三白迴向病人。你是給病人迴向的，必須把他這個物品跟他說：「我替你供養三寶，我替你造像，我替你做什麼做什麼。」跟他說三次，讓他聽得到，讓他能懂得。

「假令諸識分散至氣盡者，乃至一日、二日、三日、四日，至七日以來，但高聲白，高聲讀經，是人命終之後，宿殃重罪至于五無間罪永得解脫，所受生處常知宿命。」

若是這個人已經不行了，供的時候，他的神識已經分散了，就是他已經死了，斷了氣了。看見他死了，實際上他還沒有死，你必須七日之內，天天在他屍體面前說，我把你那可愛之物供養給寺廟了，或供養經了，或給你做了佛事，做了好事。這個人命終之後，「宿殃重罪」，過去世所造的罪惡，罪惡好大呢？五無間罪。前面講地獄，阿鼻地獄，無間地獄，犯這麼重的罪惡，假供養經像、佛像、塔廟、寺院這些功德就把那些罪惡抵消了，永遠解脫，解脫了就再不受苦，不但不下地獄也不墮三塗了。除此之外還有一個好處，「所受生處常知宿命」，宿命就是宿命通，知道我過去做什麼了，是因爲我死的時候，我的親人代表我，把我的財寶供養寺廟，塑了金像。如果我們能在活的時候自己做更好，比別人代表自己去做更好。

這段經文的意思大家要多想一想，能夠自己做的更好，後面說的，有請人家做，請別人幫你念乃至於你死後，別人幫你做佛事，你只得到一分，做佛事的人得到六分，第七品中會講。這裡是說他已經病得不行了，已經將近死亡了，或是已經死亡了，別人代表他把他心愛之物拿來這麼做，假使他自己做呢？

「何況善男子、善女人自書此經，或教人書，或自塑畫菩薩形像，乃至教人塑畫，所受果報必獲大利。」

這是用比方來說，比較兩者，以因明比量的方式比較來顯示這個利益大。他自己不能動，旁人代表他來布施，來做這些事，高聲對他說代他讀《地藏經》，都還有那麼大的福德，能夠滅免他過去的罪惡，要是善男女自己來寫、自己來讀、自己來塑佛菩薩像，或勸別人去塑畫佛像，那麼這個果報就跟前面不能比了，必得大利，大到什麼程度呢？後面就說了。

「是故普廣，若見有人讀誦是經，乃至一念讚歎是經，或恭敬者，汝須百千方便勸是等人，勤心莫退，能得未來現在千萬億不可思議功德。

復次普廣，若未來世諸眾生等，或夢或寐，見諸鬼神乃及諸形，或悲或啼，或愁或嘆，或恐或怖，此皆是一生十生百生千生過去父母，男女弟妹，夫妻眷屬，在於惡趣，未得出離，無處希望福力救拔，當告宿世骨肉，使作方便願離惡道。普廣，汝以神力，遣是眷屬，令對諸佛菩薩像前，志心自讀此經，或請人讀，其數三遍或七遍。如是惡道眷屬，經聲畢是遍數，當得解脫乃至夢寐之中永不復見。

復次普廣，若未來世，有諸下賤等人，或奴或婢，乃至諸不自由之人，覺知宿業，要懺悔者，志心瞻禮地藏菩薩形像，乃至一七日中，念菩薩名，可滿萬遍。如是等人，盡此報後千萬生中，常生尊貴，更不經三惡道苦。

復次普廣，若未來世中，閻浮提內，剎利、婆羅門、長者、居士、一切人等及異姓種族，有新產者，或男或女，七日之中，早與讀誦此不思議經典，更為念菩薩名，可滿萬遍。是新生子，或男或女，宿有殃報，便得解脫，安樂易養，壽命增長。若是承福生者，轉增安樂，及與壽命。

復次普廣！若未來世眾生，於月一日、八日、十四日、十五日、十八日、二十三、二十四、二十八、二十九日乃至三十日，是諸日等諸罪結集，定其輕重。南閻浮提眾生舉止動念，無不是業，無不是罪，何況恣情殺害、竊盜、邪淫、妄語、百千罪狀？能於是十齋日，對佛菩薩諸賢聖像前，讀是經一遍，東西南北百由旬內，無諸災難；當此居家，若長若幼，現在、未來百千歲中永離惡趣。」

這裡是說你所得的福德是什麼呢？十齋日誦經所得的福報，比以前有什麼不同呢？比前面的福德重一點，這十天念跟平常念不同，如果你平常沒有時間，就在這十天裡念，爲什麼要從一日到三十日之中擇出十齋日？這裡有幾種情況；齋有幾種齋，我們知道的是八關齋戒，這個齋指的是過午不食的，有日中一食齋，是佛菩薩的齋，佛菩薩是日中一食；早晨諸天食，中午諸佛菩薩食，晚上是鬼神食，所以這個齋是這樣分的，每部經上說的也有不同，有所出入。

總之我們現在學《地藏經》是依《地藏經》，這十天是結集罪惡的日子來訂罪業輕重，如果你正當解罪的時候，在這十天當中你持齋念經或者是念佛，功德很大的。

爲什麼《地藏經》上有十齋日呢？這是一種方便，就是平常沒有時間的，你可以在這個一個月當中，抽出這麼十天。過午不食，晚上不要吃東西，這個齋是不做鬼神食。不過過午不食是有開緣的，或者當你今天走長路，晚上可以喝漿、喝奶，或者有病的話可以喝稀飯，沒病不開緣，有病才開緣；或者你做特殊的佛事，有開緣的，但你在這十天受戒、受齋的時候，能夠堅持是最好的。《地藏經》說十齋日，文殊菩薩也說十齋日，各個的十齋日都有它的功德。

總之，你要是能持十齋日，功德無量，較平常的福德要大一些。釋迦牟尼佛對普廣菩薩說，南閻浮提衆生，「舉止動念無不是業」，這個業包含善、惡業，南閻浮提這一洲的人心變化太大，思想非常複雜，每一個動作，不論是行、住、坐、臥，起心動念都是業，當然這裡頭也有善業，現在我們做的就是善業，「無不是業，無不是罪。」就是無不是因，無不是果，業是指因說的，罪是成就了，指果說的；舉止動念都這樣子，何況知情殺害呢？知道隨他的意思，隨個人的意、隨個人的性情、喜好、愛樂殺害衆生。

還有竊盜、偷人家東西，竊是偷東西，盜是搶東西；邪淫是亂搞男女關係，在佛經上是絕不講性解放，衆生所以流轉就是因爲不能解脫淫業。還有妄語，這叫四根本戒，殺盜淫妄。前面舉止動念的業，有些是小業，不完全都是這麼重的。做了殺、盜、淫、妄這四種罪狀，就種了這個罪業，「百千罪狀」，罪狀很多，貪、瞋、癡是一切業的根本，因爲沒有智慧，糊裡糊塗的盡在那裡做罪，所以說舉止動念都是在造罪，造十惡業。

在十齋日對菩薩像前讀，供上像，讀是經一遍，不僅僅自己消災免難，「東西南北百由旬內」，一由旬是四十里，一百由旬是四千里，這十日讀的功德特別不同，因爲這十日是一切諸神下降來查人間的，在這個時候你布施、誦經、聽法，諸天擁護，因此他很高興，不只你個人，大家都能得到利益，所有方圓周圍都沒有災難，讀經的這家，「若長若幼」，不論現在未來百千歲中永離惡趣，再不趣向於地獄、惡鬼、畜牲道，或者受八關齋戒，那就不在這個之內了，那個福德更多了。

「能於十齋日每轉一遍，現世令此居家無諸橫病，衣食豐溢。」

也有人問過我，他每十齋日都念，甚至於天天都念，不但方圓周圍，就連他自己的家庭內好像都不靈似的，他問我，這是什麼道理？什麼原因呢？這有兩種情形，一者是共業，過去的宿業共業，湊到一塊了，業特別重，因爲業特別重，靠你讀經時的力量是感不動的，因爲感不動，業報還是照樣現；失火、遭了竊賊、諸種不吉祥事還是會發生，好像念經的效果不大了，這是一種。二者，念的人心不同故，誦持的人心不一樣，就是念完經了，迴向時所想的是什麼？現在心不至誠，誦經的力量薄弱，沒有力量，因此就看見周圍的環境好像轉不動。

我再說個例子，在西藏第十三世達賴喇嘛的時候，英國人佔領過西藏，是第九世班禪逃往內地，在內地待了好幾十年的那一次，那回護法神降神念《仁王護國般若波羅蜜多經》，這邊念著經，英國的大砲已經翻過藥王山了。翻過藥王山就是拉薩市。也有西藏的喇嘛這麼懷疑，說念經究竟有沒有功德呢？經上說，念《仁王護國般若波羅蜜多經》能夠保護到，爲什麼保護不到呢？我在西藏時候有一位喇嘛問我，我就跟他解釋，我的解釋很簡單，我說爲什麼不靈呢？因爲這些喇嘛都背著槍，背著刀，喇嘛長短槍兩支，長短刀兩把，我說這樣子還要求菩薩加持，你本身都成了一個殺者，不是和尚了，業怎麼能感的動呢？

我們有時候做一件事情，你得先問問自己對這件事情投了多少的毅力，下了多少的功夫、多少的資本，完了才問效果；想要輕而易舉的，什麼事都不費心，那樣你得有特殊的福德、因緣巧合。在美國，就我所知，在紐約市買樂透獎的有好多？除了得獎的人得到那麼多，我看沒得獎的人，得到好多呢？我上回講過一次了，得到比沒有得到還著急，這就是業，沒有那個福報、沒有那個福德想輕而易舉享有是不可能的，何況我們多生累劫所造的業，想一下子消失，你得付出力量，什麼力量呢？就是至誠心，你連至誠心都沒有，恐怕效果不大，還有最基本的信不信，你自己的心在那甩著，一邊念著《地藏經》，一邊心裡想可能嗎？那怎麼可能，不可能啦！一懷疑什麼都不可能，你自己都不穩當，那怎麼可能呢？所以效果不大有很多是這個原因。

也有很多是靈的，為什麼靈呢？他的心猛烈、至誠，一般而言，我們沒有什麼痛苦逼迫，所以做起這件事來，成功也好、不成功也可以，我念一念、你加持也好，反正不會開悟。有沒有得到福報？一定有，但是不一定是在今生，因為你的心不猛利，心不猛利、感應也不猛利，隨你的願望，可以轉到來生，爲什麼有的很靈呢？一念就靈，他的心很猛利，並且夾雜著過去的善根成熟了，他一念、求什麼就感應，兩個人同時修的就不一樣，效果不一樣。

我們修行要特別注意什麼呢？現前的一念心。隨時檢點你自己的心，看看入道不入道，淫、怒、癡，一點事情就發火，這個效果就不大了。因爲在愚癡當中所做的事情效果不太大，必須得有智慧，智慧是什麼意思呢？就是經常明明白白的照料這個心，不要讓它放逸了，但是我們一般做不到。如果你能制止你的心念，後果是沒有的，剛一起念，你就制止了，什麼叫菩薩？菩薩跟我們有什麼區別呢？「覺知前念起惡，能止其後念不起者，這就是菩薩。」前面起了不好的思想，這個不好的思想包括很多，懷疑心、瞋恨心、嫉妒障礙心，聽到人家說別人好，你心裡總是不舒服，總是要大家都說你好才高興，你很好的朋友，你的弟兄，或者你父母讚歎你哥哥好、愛給你哥哥買東西，你的嫉妒心、瞋恨心全都來了，人人皆有之。

還有，這些思想念頭複雜的很，你要是能夠在剛一起心動念的時候就能制止，你的功夫就差不多了，就有修行了，你能夠覺察得到，這個念頭不合乎佛所要求的，名也好，利也好，除了名利還有很多，所以自己要檢點身心，這個時候你要以這種思想，以這種用心在十齋日念經，才能使你的家庭安定，周圍的環境百由旬內無諸災難，否則做不到，這就是修行的法門。

能夠在十齋日誦經，又能夠有至心，那就更好了。誦經的時候心裡能夠觀想，心能夠跟經上所說的合了，那麼你就是地藏王菩薩了，這部經等於是你說的，這個效果就大了，這個時候你求什麼得什麼，不過，你求什麼得什麼，不是爲了自己，而是爲了利益衆生，爲了要讓一切衆生成佛，這就是佛心。

如果利益衆生、行菩薩道、行六波羅蜜、布施、持戒、忍辱、禪定、智慧，你就是菩薩。反正一天當中我們這個心在十法界不曉得轉了好多圈，一下想成佛，一下想利益衆生，一下想造業，一下心裡很黑暗，想吃的、想穿的、想舒服，想怎麼樣快樂，這個心念都是罪業，想完了要去打主意，想辦法怎麼得到它，所以你一念之間就能造很多的罪，是這樣的原因。

「是故，普廣！當知地藏菩薩有如是等不可說百千萬億大威神力利益之事，閻浮眾生，於此大士有大因緣。」

普廣菩薩請佛說地藏王菩薩的功德，為什麼地藏王菩薩有這些威神力呢？因為我們跟他有緣，不然他的威神力沒有用，沒緣的，他還沒有辦法，但也不是這個洲的每個人都跟他有緣，我看有緣的還是不多，為什麼這樣說呢？因為如果有緣的多的話，我們這個世界不會有這麼多的災難，刀、兵、水、饑饉什麼災難都有。

不要用凡情來看這些問題，一定要用聖境來觀這些問題。大家要在一切處、一切時發願，好比坐公共汽車、坐飛機、坐火車，凡是眾多人的地方，你就發願，願你們將來都做佛的弟子。「南無地藏王菩薩」、「南無阿彌陀佛」，要佛力加持他們，把他們都度了，你就是大菩薩了。這個因緣種下去了，會成長的，如果我們開了天眼通、得了宿命通，你能看到這些因緣，這就要信仰力，沒有信心是不行的。我說這些話，可能有人信，有人不信，要是看看《華嚴經》，就知道這種力量太大了，這是不可思議的力量，這種力量是無形無相的，但這個無形無相的比原子彈的力量多。我並沒有把原子彈看得很大，我把一個衆生生起惡心看得不得了，他能使我們整個世界顚覆，要發一個惡心、惡願，就能使整個世界顚覆，不過不是現在，他發了惡願，還得經過好多世才能醞釀成熟，所以千萬不要起惡心，要注重我們現前的一念心。

「是諸衆生聞菩薩名、見菩薩像，乃至聞是經三字五字，或一偈一句者，現在殊妙安樂，未來之世，百千萬生，常得端正生尊貴家。」

這個功德就是你聽到地藏王菩薩的名號，見到地藏王菩薩的法像或者聞到《地藏經》，三字五字或者一偈一句，現在都能得好處。未來聞到這部經的名字，見了菩薩像，也能有這麼大好處。

所以佛教弟子一定要相信，雖然現在我們有惑業暫時障到，但是你一定要相信，每一部經論都是這樣說的。《地藏經》也如是說，你聞到地藏王菩薩名字，見到地藏王菩薩像，要是聞到這部經的三字五字一句一偈，聽到一句話都可以。不過現在殊妙安樂可能還不能滿足這個要求，因爲我們生在這個時代。我們客觀的現實環境有所不同，周圍的客觀現實的衆業所逼迫，以我們小的力量來抵抗巨大的力量，效果恐怕是不顯著，有沒有加持呢？還是有的。

例如現在中東地區發生箭拔弩張的戰爭問題，靠我們的迴向能轉變嗎？我們不管它，反正我天天念經都給他們迴向，少死一些人總是好的，拖延一天時間也是好的，但是這種業不是我們的力量所能轉得到的。但效果是有的，雖然外界客觀環境是轉變不了，但是對我們個人周圍的親屬還是起一定的作用，但是一定得要有信心。願力還得有行力，行力就是要誦經、拜懺、持名。我們往往在這上面對佛教產生退心，不能堅定，原因就在這裏。好像經上說的話，我們做起來不是那回事。

也有人指責說，佛經上說的話是矛盾的，跟事實不符。他所說的事實是指我們用肉眼看得見的，看不到的，他就打問號了。但是我們看不到的事情太多了，這個轉變的過程，我們確實是不曉得，我們每天都在變，每個人的業也在變，整個的客觀的現實環境都在變。在這個變的當中，我們掌握不了這個規律，這是業果因緣在轉化，我們掌握不了，只有求佛菩薩加被，別無第二個方法。

所以這個因緣跟感應，我們知道感就是因，應就是緣！但我們感這個因要是具足的話，那個助成的緣已經幫助我們成就了。所以說是聞地藏名、見地藏像，不只現在你能夠減少厄難，未來的百千萬生的相貌都能端正，都能生到尊貴家，這是我們所希望的，生尊貴家免受苦難。但是我們佛弟子也不願意生尊貴家，我們的業不想生尊貴家，也不想端正不端正，我們要求我們性體的法身顯現，那是端正的。這些都是有相的，那麼我們所見的相，講深一點不在像上去繪，爲什麼見像有這麼大功德？引發我們的自性。

見了地藏王菩薩的像而引發我們自己心底的像，這個像就是法身的像。會同法性的理體，像非像；像是假像，這是地藏王菩薩嗎？我想大家都知道，這不是地藏王菩薩，僅僅是地藏王菩薩的像，什麼是眞正的地藏王菩薩呢？就是我們現前的心，心就是地藏王菩薩。這樣來理解，像沒有像，地藏菩薩名，名無名，名者假名。我們都知道名是無名的，無名的是假名，假名引發了我們的眞像相，也是這樣的，名無名，念一聲地藏王菩薩，那我們就用觀世音菩薩的反聞聞自性，因名而返回像，聞的了了，性體眞性現前。所以說聞名見像的功德，假使說性體顯現的功德是遍法界的，那麼不只是現在殊妙安樂，未來百千萬生常得幸福生尊貴家，那我們想的就遠了。

經裏隨便撿「三字五字」，我們可以這樣解釋一下，破三惑，見思惑，塵沙惑，無明惑，還有消除三障（惑、業、苦），苦就是報，消除三障，這三障就是煩惱。我們要是沒有煩惱不是清淨了嗎？把三障變成三智（一切智、道種智、一切種智）這就成佛了，我們就這樣解釋「三字」。還可以配什麼呢？三德（法身德、般若德、解脫德）。所以「三字」不是簡單的這些涵義，我都說的是三，配合起來不是很殊勝嗎？這叫究竟義。

「爾時，普廣菩薩聞佛如來稱揚讚歎地藏菩薩已，胡跪合掌，復白佛言：」

普廣菩薩不是請問佛，地藏王菩薩有什麼功德嗎？佛說，地藏王菩薩對眾生有這麼大的助緣力、加持力，幫助眾生斷除煩惱，得成正果。「胡跪」是印度的禮節，單膝跪，本來胡跪是可以互跪的，還有一種是長跪，長跪是雙腿的，有時候長跪合掌，有時互跪合掌。

「世尊！我久知是大士有如此不可思議神力，及大誓願力，爲未來眾生遺知利益，故問如來。唯然，頂受！世尊！當何名此經？使我云何流布？佛告普廣：此經有三名：一名地藏本願，亦名地藏本行，亦名地藏本誓力經，緣此菩薩久遠劫來，發大重願，利益眾生，是故汝等，依願流布。普廣聞已，合掌恭敬，作禮而退。」

他聽完了說：「我早知地藏王菩薩有不思議神力及大誓願力！」「大士」是指地藏王菩薩。他說這是「爲未來眾生遺知利益」，「遺」就是讓的意思，讓他們知道這些信仰地藏王菩薩，聞名見像的好處，乃至一沙一滴的好處。所以我才問如來。我爲了未來一切眾生得利益，有意的問佛」。「唯然頂受」佛說完了，「我頂拜受持。」

但是還要請問什麼呢？將來流通，令未來衆生受持的時候要有個名字。每部經都是這樣，最後得有個請示當機衆，這一卷就是普廣問如來，問地藏王菩薩的功德，問完了，他請示這部經的名字，佛就答覆他說，這部經有三個名，從地藏王菩薩的發願，從他最初的發心，這就叫「本」，我們可以知道就是《地藏本願經》，我們現在用的就是《地藏本願經》；亦名《地藏本行》，行就是行門、法門的意思，他所行的行門，就是經中所說的。有時亦名《地藏本誓力經》，「誓」就是願的意思，他有大誓的力量來促使衆生覺悟；這部經流布的力量，佛不只囑託地藏王菩薩、文殊菩薩、普賢菩薩、觀世音菩薩，凡是請問者，佛都讓他們護持《地藏經》，讓他們流布《地藏經》。並不是地藏王菩薩一個人來流布《地藏經》，所以虛空藏菩薩、觀世音菩薩、普賢菩薩、普廣菩薩，還有一些大力神，聽完了這部經，聞法了，恭恭敬敬的作禮又回到他原來的位子上，這是第六品。

利益存亡品　第七

第七品是〈利益存亡品〉。前一品是講地藏王菩薩度眾生的力量，讚歎地藏王菩薩有不可思議的威神力量。這一品講現在實在的事情，就是顯地藏王菩薩利益眾生的妙用，給死者、生者利益，讓他確實見到好處，得到實惠。這兩種利益，一種是未來的利益，這種利益很遠，要延續百千萬劫，第二種是近的利益，就是現在我受持、聞名之後，最近的利益。

佛當時在忉利天說了《地藏經》的好處之後，在忉利天所集來的那些鬼神、力士、菩薩、及天龍八部等，那些未成熟的，他們當時就得了利益都度脫了。而地藏王菩薩在這個世界的利益，要從近的說起；從地藏王菩薩在賢劫的拘留孫佛到釋迦牟尼佛以來，在佛前種了善的，有成熟的因，有的得了解脫成佛了，究竟解脫了。前面第一品就說過，那些到忉利天來集會的諸佛、那些大菩薩都是地藏王菩薩教化度脫的，這是在忉利天會中所得的近的利益。那些過去成熟的，就是遠的利益，現在在忉利天又種了新的種子，到未來成佛的，受佛授記的，決定成佛就是遠的利益了。還有就是這一品，那些聞到《地藏經》的千萬億那由他閻浮提的鬼和神，發了菩提心，這就是聞法的利益。

「爾時，地藏菩薩摩訶薩白佛言：世尊！我觀是閻浮眾生，舉心動念無非是罪，脫獲善利，多退初心，若遇惡緣念念增益。」

這是總說南閻浮提眾生思想的情況，什麼情況呢？容易退心，舉心動念都是在造罪，「無非是罪」。雖然是脫了苦難，得了利益，但是又多退初心，發了心又退，做一件事都不定，漸漸的又不信了。希望說發財馬上就得發財，說病好，不管是癌症、什麼症，馬上就得立竿見影，而不管業的輕重。沒有得到，就會謗毀，退了初心。要是遇到惡緣，可就念念增益，益就是增上多的意思，要是有惡緣，他馬上就變了，隨惡緣走了，善容易退，惡容易增。

但是客觀的現實，外界的境界多是惡，善很少，誰不想做好事！但是想做好事做不成，障礙很多，原來根本不想做壞事，但常爲了客觀的現實情況而所迫。

像有些道友問我說，做生意不說兩句瞎話，直去直來，我這樁生意就做不成了，利益得不到了，眞的是這樣嗎？要不說瞎話簡直活不成了，換句話說，妄語非打不可，是不是這樣的呢？還有，我們有些道友開的是葷菜館，他說不賣海鮮這個問題無法解決，客人要吃海鮮沒海鮮，飯館就開不成。換句話說，我不殺生，我也活不成，我沒有飯吃，我就得殺生，這個可以怪他嗎？不怪他，這是客觀現實逼迫的。所以在閻浮提的衆生，善緣很容易退、善業很不容易做，惡緣呢？漸漸增長、處處都在。

我說你最初是怎麼選擇這個職業呢？他說那我要做什麼？我說你找對人有利的事，衣、食、住、行各方面對人幫助很多、改行可以不可以？因爲殺業太重！衆生業太重了，現在飯館業很蕭條，房地產業也很蕭條！房子給人住不好嗎？房地產業蕭條，因爲欺騙太大，沒有一個賣房子的會說，這間房子我五萬元買的，賣你七萬元，我要賺兩萬塊錢，沒有一個人這樣講，我賣你沒有賺到利，我很吃虧的！大慨做生意的都這樣說，要讓人家信，但哪一個也不信，互相欺騙，你騙我、我又騙你，我在那處買，人家要減我價錢，你也得削價。其實他在那處買，人家也沒有削他價錢，非要欺騙不可，正直地過生活不行嗎？我想也不會餓死。客觀環境就是那樣子。要不是那樣呢？閻浮衆生就舉心動念不是罪，是善業了。

我們最初發心信佛的時候是什麼心情？甚至信到懇切了，拜佛或者禮懺、誦經得到感應了，也有一念間都可以捨掉生命的。我看見很多道友出家的時候，心猛利極了，住到山裏頭，老虎、獅子或者狼來了，他根本不把牠們當回事，他眞的是將生命置之度外，在茅棚或洞穴裏一住，以生死來換不生死，眞是有那個道心，心很猛烈！

我有一位師伯，他住在一個叫壓獸洞的山洞裏頭，最初我看他在洞裏住了十五年，他認爲說：「以我的功力，在這裡吃苦應當開悟，可是現在還沒有開悟。」我說：「無量劫來造的罪，十五年來換取成佛，哪有這麼回事，業障沒有消失這麼快。」不過他這一生盡是住洞，後來他離開那個洞又到五台山，也是很苦，這就是苦行僧人，他以他自己所受的苦難來換取未來無量劫的幸福。

像我們很多的弟子沒有受什麼苦，或受不了一句話，受不了一點小氣，總感覺不舒服，總是想要悠悠自在的成佛。或者念上幾十部《地藏經》！要換取什麼？這本來是無價的，你拿有價去換，不但換不到，還喪失了功德。應當怎麼樣呢？應當不退初心，遇到惡緣時，要認爲那是對你功力的測驗，你能不能定得住？佛常教導我們說，人身難得。得人身艱難極了，得了人身就隨便浪費了，信了佛，遇到因緣又退失了。現在的人都不怎麼好名，反而看利看得特重，前面講地獄的苦，一念一個身，百念就百身，千念就千身，受完苦又回來，回來又受苦、受苦又回來，百念千生，大家要堅固自己的信願力，莫退信心。

「是等輩人，如履泥塗，負於重石，漸困漸重，足步深邃；」

我們要是身上扛了很重的石頭在稀泥中走，走一步陷一步，走一步陷一步，愈陷愈深、愈來愈重，增加負擔。遇到惡緣，念念增長，你的罪業不是愈縛愈重嗎？這是形容的意思。

「若得遇知識替與減負，或全與負，是知識有大力故，復相扶助，勸令牢腳，若達平地，須省惡路，無再經歷。」

這是用比喻來顯法的力量。要是遇到一位有知識的人，這位知識不是惡知識，而是善知識，引你向善道上走，幫你負擔，減少你的煩惱或把你的石頭拿過來，他全部幫你揹，或者幫你減少一些負擔。「是知識有大力故」，這位善知識他很有力量，一邊替你負重，一邊還牽引你的手，叫你把腳站穩，一步一步的走，要是到達平地了，沒有稀泥陷足的地方，就是到達平地了，就囑託你，說你要注意，你剛才走過的路是惡路，千萬不要再回頭走這條惡路。

我們對做惡業的，心裏起惡念的，一再地囑咐他，要念念的思念三寶，思念地藏王菩薩也好，思念觀世音菩薩也好，思念大乘經典一偈一句都好，那麼你就是思念善路，千萬莫再陷入泥湯，就是這個意思。就像在人間，我們大家互相共同勉勵，互相學習。你拜懺、念經、讀誦大乘經典，不要勾心鬥角，盡在利害關係上打主意。

我們有些弟子看不破放不下，總認爲自己是正確的，盡在利上打主意，見害就躲，這個害處對衆生有多大我不管，只要對我有害，我就不幹；這個利益對衆生產生多大的惱害，我不管，只要對我有利，我就要去取。這需要個人反省才能知道，我們在這裡聽經講經學佛法，等遇到具體事實，佛法就擱到一邊了，自己想怎麼做就照著自己的意思去做了，這樣怎麼能相應呢？不可能相應的，學等於沒學，只是浮泛的種善根，浮泛的善根還不曉得什麼時候我才能享受得到利益呢？而眼前就失掉善力了。

「世尊！習惡眾生，從纖毫間便至無量。」

衆生造惡從一點點發展到很多很多，我們要用這種見解；你看小說也好，看報紙也好，用正確的知見來看，完了，你去判斷。小說你一看前面就看到後果了，他要害人整人，他最後還是被人整被人害下台，不論哪一位，就算是過去的名人，等到臨終時，他才知道晚了，大錯已經鑄成了，罪惡已經定了。所以習惡就是習種性，過去多生累劫的做惡習慣。

我們在監獄罵管理我們犯人的，給他起個口頭禪，見了他，我們就念「三天不害人，走路沒精神」，要是三天不害人了，他走路都沒有精神。這些人怎麼樣了，他寫不出小報告，連走路都沒有精神，這就說明他天天得害人，不害人他活不得，因爲這是他的職業。

我有這樣的經驗，不論黃河開口在任何地方，要發大水時，最初是一點點，不太注意，看到水一點點滲覺得沒有關係，但是一點點增大一點點增大，等到大了，你想堵也堵不住！黃河發水都是這樣，這是明流。還有暗流，黃河的災難是很不好治理的，黃河的水一發，水是從地底下來的，你在地面上還不覺得，等水一來了，距離一、二十里路的村落也都認爲沒有關係，離我們這裡還很遠，等水一來了，一夜之間房子一塌，完全是汪洋一片。

這是形容習惡衆生就像黃河發水似的，我們的心念最初從心裏打主意時起，到發展造成事實。最初都是心裏打主意，想辦法怎麼樣害人，怎麼樣整人；有好多的政策就是從一個人想起，害到千千萬萬人，爲什麼讓他害呢？業！大家造成的業！哪能死得這麼多，這個造惡的衆生造慣了，從一點一點發展成無量無邊，像這類的衆生怎麼辦呢？地藏王菩薩就說了一種方法，他說：

「是諸衆生，有如此習，臨命終時，」

他有這個惡習，他才去做惡，怎麼辦呢？要在他命快死的時候。

「父母眷屬，宜爲設福，以資前路，或懸旛蓋及然油燈，或轉讀尊經，或供養佛像及諸聖像，乃至念佛菩薩及辟支佛名字，一名一號歷臨終人耳根，或聞在本識；是諸衆生所造惡業，計其感果，必墮惡趣，緣是眷屬，爲臨終人修此聖因，如是衆罪悉皆銷滅。」

中國有一句話說：「人之將死其言也善」，將死時所說的話都是好話，他那時造惡也造不成了，在這個時候他知道改悔，但由於往昔惡習種子現形，現形薰種子，種子又滋長現形，交相薰習，所以有如此習。〈起信論〉講「薰習」，我認爲很有道理，有些學唯識的不承認，就是這樣薰習！過去的惡業現在遇到惡的環境又把我們的善念薰習了，把它轉變，客觀現實迫使他如是，善習的薰習沒有惡習薰習的力量大，惡的根性太深了，接受惡的快得很，接受善的不能持續，因此要度一個人很不容易。

但是到了他將死的時候，這時他的六親眷屬應給他供佛求福，使他前面的路走得光明一點，不要走黑暗路了，減少他到三塗的痛苦，怎麼做呢？或者懸旛蓋或者燃油燈供佛，或轉讀《地藏經》或供養佛像，或者一切聖像都可以，菩薩、聲聞像都可以，要是這些都做不到，法供養好了，念佛菩薩的聖號或者念辟支佛的名字，或念阿彌陀佛念釋迦牟尼佛，或念那尊菩薩，地藏菩薩、文殊菩薩、普賢菩薩，都可以。

「一名一號歷臨終人耳根」，在他將死未死的時候能聽到，「或聞在本識」，這個時候他的眼睛看不見了，耳根也不大靈活了，讓那還沒有離體的神識感覺到，他雖然眼不能見，還有意識的感覺；他還沒有死，也就是識還沒有完全離體的時候，識有所感覺。《灌頂經》說，男、女要死亡臨終的時候、或已經死了，用黃色的布或綢，建造一個旛，廟上掛的幢旛寶蓋就是那個旛，如果說實在不行，用黃紙也可以，懸到他屍體上，使他能得到利益，能離八苦、厄難，這就是「懸旛蓋」的旛。蓋呢？在上面做一個寶蓋的蓋，沒有力量，拿黃紙做一個也可以，這也算供養佛了，乃至於點個燈也能做得到。點個油燈但可不是給亡靈點的，要用意念供養佛、菩薩，有菩薩聖像就供養，佛菩薩聖像、辟支佛像就是連聲聞像都可以，這時念一聲佛名號，使他的耳根或他的神識都能知道，這些造惡眾生就能脫離苦難了。

惡業因必定感果，必定有業果隨著這個業因。「必墮惡趣」，一定墮地獄的，或墮畜牲道、墮餓鬼道；如果這個人假這個因緣，假這個念佛、佛號得聞或供養燈、香什麼都可以，那麼這些眾生所造的果報就得以消失，把他過去所造的罪，假這個佛，就抵消了。這裡有個問題，我們不是說業果不失嗎？有時佛不能轉衆生的業果，必須衆生自己轉。像地藏王菩薩有這個方便善巧，這是他發的願，假他的願力可以使衆生所造的惡業暫時消失，悉皆消滅。不過，我認爲還是要他自己修，這是假地藏王菩薩的力量消業，但是必須有因，什麼因呢？他要有這種福報，往往臨終人遇不上，誰給他念經，特別是我們所謂的現生有錢有勢的人，不如我們普通的信佛人，他沒有這種福報，臨終時有人給他做這種好事？沒有的！因爲他的惡業、惡習所感的，他遇不到這種因緣。

爲什麼修行？就是爲了要走的好，別人問我們學什麼？我們學死亡！把這個方法學會了，圓寂的時候走的很好，比活著享受還好得多，你再換一個面貌，你就有宿命通，有宿命通不做壞事，你就善習成熟了，不是嗎？善習成性永遠做善。

我經常勸大家莫要煩惱，煩惱就是惡習，爲什麼勸大家斷絕煩惱呢？煩惱來了，你認識它，爲什麼要煩惱？煩惱是從什麼生起的？不是利、就是名，煩惱不會從好事上生起的，而是從貪、瞋、癡上生起的，那是總的煩惱。

「若能更爲身死之後，七七日內，廣造衆善，能使是諸衆生永離惡趣，得生人天，受勝妙樂，現在眷屬利益無量。」

不只是死者得到利益，現在活的人所得的功德更大，在你給死者做佛事的時候，他只能得到七分當中的一分，你做佛事得六分。在死以後七七四十九天，爲什麼說七七四十九天呢？人死之後善業也不種、惡業也不種，一時的因緣沒有成熟，他投生的地點還沒有確定，四十九天正是在審查當中的階段，這幾天所做的佛事，他的善業就猛增，大家給他念佛迴向，善業猛增，當然他沒有做惡業了！千萬不要死了之後替他請客、殺豬宰羊的來做喪事，那就麻煩了，那就是惡業增長，善業沒有了，立竿見影的下地獄。

要是能給他做七七四十九天的佛事更好！但也不一定說要請很多人，如果沒有這個經濟力量，怎麼辦呢？你自己給他念七七四十九天，四十九部的《地藏經》，在靈堂也可以，或者把他火化後，在骨灰盒前念也可以，乃至把他的照片擺在面前給他念也可以。

「是故我今對佛世尊及天龍八部、人非人等，勸於閻浮提眾生，臨終之日，慎勿殺害及造惡緣，拜祭鬼神，求諸魍魎。」

這段話很重要，人死後辦喪事，大肆殺豬宰羊，雞、鴨、魚，不曉得殺害好多眾生，造惡！反而送他下地獄。這是地藏王菩薩對佛說的；說什麼呢？勸閻浮提的眾生，說這個國土、這個世界的眾生臨命終的時候，對於殺害的事要特別慎重，絕不能犯，不能殺害也不要造許多的惡緣，前頭說的是善緣，這裡說的是惡緣。

更不要拜祭鬼神。關聖帝君是神，中國把他當做護法伽藍，是從隋唐之後才有的，以前並沒有。求什麼神像、神廟，不但不能得到好處，反而增長罪惡，求到了你必須得殺害，神都是吃葷的，都是惱害眾生的。魍魎就是魑、魅、魍、魎四小鬼，惱害人的，什麼緣故這樣說呢？

「何以故？爾所殺害乃至拜祭，無纖毫之力利益亡人，但結罪緣，轉增深重。」

殺害、拜祭，一點點利益都沒有，這怎麼能利益亡人呢？亡人不但得不到利益，反而「但結罪緣」，前面說結惡緣，就是這些人，在亡者死亡之後不去結善緣，還去造作惡緣，這樣讓他的罪業更增加了。我們一定記住，千萬不要做這種事，有些人是半個佛教徒，怎麼是半個佛教徒呢？他信，信正知正見，但是只有他一個人信，家裏的六親眷屬不信，或他家裏又有地位又有勢力，婚喪嫁娶不辦幾桌酒席，好像是不孝順的！這叫邪知邪見，這位信佛的弟子也沒有辦法，他不能幫助死者乃至他自己也如是。

「假使來世，或現在生，得獲聖分，生人天中，緣是臨終，被諸眷屬造是惡因，亦令是命終人，殃累對辯，晚生善處。」

在有生之年做了很多的好事情，他的果報不是生天就是生到尊貴處，來到人間也生尊貴處。因爲他的外緣不好，就是他的眷屬在他死後做了很多惡因，給他添了很多的麻煩，也就是幫倒忙；不但不能幫他減少惡業的痛苦，反倒給他增加惡業；不但不能幫助他善業的成長，反倒拉他的善業後退。「殃累對辯」，使他生善處就困難了，晚了，假使再生善處也錯過很多時間了。

「何況臨命終人，在生未曾有少善根，各據本業自受惡趣，何忍眷屬更為增業！」

在生時沒有善根沒有做好事，在他死後這樣一做，自然的更受惡趣了，惡趣更加深了。很奇怪的，凡是做惡業的人，惡業愈猛利，善根愈沒有，絲毫沒有臨終的助緣，只是增加惡業，自受惡趣，那就逃脫不了。「何忍眷屬更為增業」呢？他的六親眷屬還給他罪上加罪，怎麼還忍受得了呢？就是這個意思。

「譬如有人從遠地來，絕糧三日，所負擔物，強過百斤，忽遇鄰人更附少物，以是之故轉復困重。」

這個道理很好懂！有的人三天都沒有吃飯了，揹著一百斤重的東西，還在勉強的走路，困難到了極點，又碰到一位不懂事的鄰居，又給他增加一點東西讓他幫著帶回家，使他的困難更大了。也就是死亡的時候沒有什麼善根，帶著一包惡業走，又碰見這些眷屬給他增加了一些重罪，那麼他就困難重重了，走不動了，壓死他了，本來他的罪已經夠大了，墮地獄還沒有那麼長，再增加一些罪，在地獄的時間更加延長了。

「世尊！我觀閻浮眾生，但能於諸佛教中，乃至善事，一毛一渧、一沙一塵，如是利益悉皆自得。說是語時，會中有一長者名曰大辯，是長者久證無生，化度十方，現長者身，合掌恭敬問地藏菩薩言：大士！是南閻浮提眾生命終之後，小大眷屬為修功德，乃至設齋造眾善因，是命終人得大利益及解脫不？」

誦此經或稱佛名號，可以免這個災難，可是你並不知道，非得災難受到身上了，完結了這個災難，這才得到好處。有很多的佛教徒往往在無形中免了這些災難，自己並不知道，我們一定要用智慧觀察。

以下舉大辯長者爲例。「辯」是辯論，辨明是非，也就是有智慧的意思。在會中的這位長者是在社會上很有道德、很有地位的，是有神通的法身大士，就像維摩詰居士一樣的。在這個會上，這位長者就是大辯，他是「久證無生」，證得無生法忍，是出世間的長者，不要以世間的長者來看，證得無生法忍了才是法身大士，忍可一切法無生，無生也無滅，證得了無生無滅的眞理。「久證無生」，他不是一劫兩劫了，多劫以前就成了法身大士，「化度十方」，到十方世界去化度衆生。現在在這個法會當中他示現的是長者身，對於一沙一渧的功德，他是知道的，他是爲了利益衆生發起這個因緣，讓大家都能懂。他尊敬地藏王菩薩，才說「大士」，「大士」都是指稱法身理體的大菩薩摩訶薩，意思是一樣的。

南閻浮提的衆生，命終之後，他的眷屬或者他的子女或他的父母，給他做功德，或請人念經、拜懺做法事，或是設齋供養僧衆。那時在印度，凡是有紅白喜事，都要請僧供養，不像我們現在要念什麼經，那時的印度沒有念

《金剛經》、《地藏經》，而是請三寶的僧人來到家裡頭供齋，這就是無上的福德了。

所以說乃至設齋「造衆善因」，設齋供養僧衆，是植福田，種了善因，這個善因迴向給命終的人，命終的人能不能得到大利益，及解脫否？解脫就不容易了，解脫就得了自在了，自在就不受六道輪迴了，證了果了，或者把他送到極樂世界，解脫就是脫離生死苦難，永遠的解脫再不墮三塗，這是大辯長者請問地藏王菩薩說的。

「地藏答言：長者！我今為未來、現在一切衆生，承佛威力，略說是事。」

地藏王菩薩就對大辯長者說，長者！你問這個問題，我是假佛的加持力，大概給你說一說，「略說」就是大概的意思，不是詳盡的意思。

「長者！未來、現在諸衆生等，臨命終日得聞一佛名、一菩薩名、一辟支佛名，不問有罪、無罪悉得解脫。」

這裡沒有說世間利益，而是說出世間利益，若有臨命終人，他的眷屬給他做了佛事，或者給他誦經或者拜懺，得不得到利益呢？得不得到解脫呢？地藏王菩薩答說，他臨終捨命、在要死未死的時候，有人在他跟前、在他耳邊對他念一聲佛的名號，或者菩薩、辟支佛名號，辟支佛就是緣覺，比聲聞高一點點。緣覺是緣念世間法的生滅而開悟的，出生在有佛時日就叫緣覺，出生在無佛時日就叫獨覺。這個時候能夠知道一個佛的名字，辟支佛的名字、菩薩的名字、都可以，不管他過去造的，有罪沒有罪，都能得到解脫，能夠成道。

這裏有一個問題，假如說他造了很多的罪，臨終一聞到佛的名號他就能得生？那是他念阿彌陀佛，阿彌陀佛加持他得解脫，念觀世音菩薩，觀世音菩薩加持他得解脫，念地藏菩薩，地藏菩薩加持他得解脫，怎麼解釋這個道理呢？

佛在世時有位比丘叫那先比丘，有一個國王請他說法。這個國王說人在世間上做惡做了一百歲，到臨死的時候，一聲佛號就能得生淨土，他不信。那先比丘就跟他說個比方，面前一個湖，我們把石頭擺在湖面上，石頭沉不沉？國王說當然沉，一定沉。我擺一百塊石頭、一千塊石頭比它大十倍的擺在船上沉不沉？他說不沉了。爲什麼在船上不沉，在水上沉？他說，船給他負擔了。那先比丘跟他說，臨終念佛名念聖號就譬如是船，這個衆生的罪惡譬如是石頭，爲什麼他不沉了呢？爲什麼他解脫了？因爲菩薩給他負擔了。

要是我們也發菩薩願了，好比我們也發願代衆生苦，別人的苦由我來承受，如果你平常沒有什麼病，你看到有病的人你說願意替他害病，讓菩薩加被他，讓他的業報轉化。是不是你馬上就害病，他就好了呢？不是這樣的，如果是代衆生苦受罪的話，像觀世音菩薩跟地藏王菩薩代衆生苦，把一切衆生的苦難都擱到自身上，但是個人的業不相代，爲什麼又能加持他呢？怎麼轉化呢？他臨終有人給他念佛，就說明了他自己的心力，發現了這個善根力，不然哪能碰到呢？但是臨終時耳根念的，跟以後做的佛事完全不一樣的，正在臨終的時候你給他念的效果要大的多，他可以全部得到，因爲你一念佛，他的心念就隨著你念佛的音聲，觀念佛號去了，死亡的痛苦就沒有了，就不注意了，乃至於假佛的力量加持，一念佛，心裏緣念佛，他的思想境界起了變化，所以他隨著佛的音聲，假這個力量，他能得到解脫。

因爲業果千差萬別，我們想一想自己在夢中或是碰到鬼、虎、狼、獅子，碰到種種危難的時候，這個時候你要是能念佛或念菩薩聖號乃至念經，你就有功夫了，假如你在睡夢中，每逢一做夢你就能警覺著念佛念經，那麼你在死的時候不需要別人念了，你自己自然能念，這就是觀心的力量，平常還沒有到死的時候自己就準備，不必等別人來念，自己準備好了。

念《地藏經》，臨死在轉生的時候不昧宿因，知道我前生是幹什麼的，知道我前生是念佛的，今生我就能信佛，勸人念佛，這樣子才能有罪無罪悉得解脫。

「若有男子、女人在生不修善因，多造眾惡，命終之後，眷屬小大爲造福利；一切聖事，」

沒有念佛的，說他沒有做好事，只做壞事，但是他死了，他的眷屬知道幫他做好事，給他造福利，給他放生、乃至到社會敬老院去，這都算是好事；有形的有相的，世俗間的善業都算是給他造福利。至於這些念經、念佛、念三寶，這是出世間的善業，聖事，「聖」是聖人的事情，想得解脫是聖人的事，但是死亡的人得的很少！

「七分之中而乃獲一」

本來這樣的人按罪是要受報的，因為他的眷屬給他做了福德的事情，轉化了，《地藏經》裡婆羅門女知道她母親不信因果，不信佛法，毀謗三寶，她死了就給她做功德，一做功德她母親就生天了，但是轉化也是有限的，光目女使她媽媽脫了地獄難又來到人間，來到人間壽命很短促，十三歲又要死了，第一步只能轉化成這樣，人死之後所做的功德所得的福報，活的人得六分，死的人才得一分，但是這一分的功德就能轉化他的報、他的業。

「六分功德生者自利，以是之故，未來、現在善男女等，聞健自修，分分己獲。」

七分的功德，死者才得了一分，活的人得六分。你現在的身體健康，爲什麼不自己修？未來世的衆生或現在世的衆生，善男信女聞到佛法了，在身心健康的時候，趕緊自己修行，自己修就全得了，「分分己獲」，七分你都得到了。

臨死的時候爲什麼在屍體面前點燈呢？大家學過《藥師經》，供佛點燈給死者也點燈照明！燃燈續明，你這供佛的燈就指引死者的魂識看見光明，不是黑暗的，看見光明，他就有選擇，他要走好道，不會走惡道了，有這麼一種涵義。所以就是要你自己修行，趁著你有精力、能夠念的時候，你多念一點，這個念也不要著相，最好不著念，聲音也不要太大，你自己聽見就好，這叫「金剛持」，也就是綿密不斷的意思。

「無常大鬼不期而到，冥冥遊神未知罪福，七七日內如癡如聾，或在諸司辯論業果，審定之後據業受生，未測之間千萬愁苦，何況墮於諸惡趣等！是命終人未得受生，在七七日內念念之間，望諸骨肉眷屬與造福力救拔，過是日後，隨業受報。若是罪人動經千百歲中無解脫日，若是五無間罪墮大地獄，千劫萬劫永受眾苦。」

無常本身就是一切法，一切都是無常、幻化，我們有誰知道哪一天會死呢？沒有定期，這個星期死不了，下個星期沒有定，有些是突然的，像有的病我們可以知道，病是死的因，死是突然之間的，心臟病發，我們有位同學法尊法師，他譯經的時候筆掉下去了，他一撿筆就死了，這類死亡的事太多了，一念間就死了，是你不能預料的。

「遊神」就是你死亡之後，神識所看到的都是黑暗的，死後的遊魂在這個時候不知道自己是受罪還是享福，是生天還是下地獄？絕對不是生淨土，生淨土就不是這種景象了，生淨土，魂識剛一離體的時候，乃至於佛菩薩應你的時候，你的神識馬上就到了淨土，極迅速、比電波還快的多；十萬億佛土，這邊神識一離體就到蓮華世界了，這是業所感的業力，非常之快。這裡是指一般的，不是到淨土的，一般人惡業不太重，善業也不太猛利，七七日內必須得審定惡業。

馬上深陷地獄的很多，活著的時候就到地獄了，有很多人像挖煤的人就跟在地獄差不多。大家可能沒有挖過煤，我聽到挖煤的人說，你到挖煤的洞裏，還有淘金的金洞子，都是這樣子。在黑暗當中，或者碰到瓦斯爆炸，或者沒頂，所謂沒頂者是上面打的洞塌下來了，當時就壓死在裏面了，活著是在地獄，死了還是下地獄。我有這樣的感覺，在監獄裏沒有定案的，就是你的罪正在審查當中，沒有判刑的，在這個時候犯人心裏急的晝夜不安，不知道判大判小，判死刑、無期徒刑，判好多年？不定，心裏焦得的不得了。

我就想了，就像這段經文所說的，剛剛死之後，還沒有走到確定轉生的地點，「冥冥遊神未知罪福」，一共七七四十九天的期限。像我在監獄中，前面十五年都不跟你說個一、二、三，你到底犯什麼罪啊？判好多年啊？沒跟你說，等到他要給我判了，我已經住十五年了。判十五年就完了吧？還沒完，還有餘罪，什麼叫餘罪呢？你刑期滿了還得改造，思想還沒有好，還得繼續改造，也就是勞動改造。

報有果報、有餘報，還有華報，我們把苦受完了，做了人了，你跟別人不一樣？病苦特別多，小時候六根就不全，這不是很多嗎？有時候生下來就是跛子、瘸子，六根不具就是餘報。

「諸司」，也就是管理這些業報的人（這些都是鬼神，在《華嚴經》上說的鬼神特別多）來辯論你的一生，或前生的罪業、多生的事業，給你算總帳，辯論你的業果，說你這個因該受什麼報。還沒有確定下來前，在討論當中必須得審查，是你造的才去受報、才去受生。在還沒有確定之前，這個遊魂是千萬愁苦。按人的時間七七四十九日，這個時候他的眷屬給他做佛事，過了七天，決定他到那裡去就不知道了。爲什麼給亡者做佛事要趕七七？大概就是依照《地藏經》說的，一個七一個七的這樣做。

死亡像什麼呢？等於我們搬家一樣，我們這一生搬家搬的不是很多嗎？

到了很多地方嗎？走了很多處所嗎？人的分段生，就像我們這些佛教徒，佛教弟子沒有大善大惡，不是人間就是天上，而這間房子不住了，再換一間！換一個比這個還好一點的，如果今生修的多了，再換一間比這個還好一點的房子，四大是假合的，就像我們住房子一樣的，要像這樣來認識它、來理解它，你經常的修這種觀，到死亡的時候不但不是痛苦，而且很愉快的，有些人在死了之後，他的面容還是微笑的，因爲他到了更好的地方，比這個地方還好一點，所以他沒有痛苦。

「過是日後隨業受報」，過了四十九天，那就隨著他做什麼業感什麼果了，這一受報，那苦的日子就長了。「動經千百歲中」，這個說法是按短的說，沒有說千萬億劫，而是千百年，一歲就算是一年的意思，千百年的罪都受不完，在人間受一年的罪可以換取地獄一劫的罪，你要這樣認識，假使人間輕賤你辱罵你，你不計較，你說：「我這是還業的。」「是人先世罪業則爲消滅」，《金剛經》不是這樣說的嗎？要是等到地獄去受的時候，那個時間就長了，「無解脫日」，想得解脫就很不容易了，要是墮到五無間大地獄，那就是千劫萬劫永受諸苦。

學《地藏經》，我請大家要有個觀念，沒有地獄！不要著相，著相是很危險的，地獄是你自己的業境變現，心裏的變現。我們做夢的時候，夢見人家拿刀砍你，誰來砍你？你一醒什麼都沒有了，但當你做夢的時候，你知道這是做夢嗎？有時候知道，我有時候是這樣做夢，或者夢到很高興的事情，我就知道這是做夢。完了這個境界又變化了，又變成苦的，我說這還是做夢，自己認識到做夢。等到這個夢又變了另一個夢，不知道是做夢了，或者第三輪不知道還是在夢中，往往到第五輪都在夢中。第一個夢我好像醒了，其實沒有醒，再做第二個夢，第二個夢又認爲醒了，沒有醒又做第三個夢，可以做到第五輪，我不曉得別人有沒有這個境遇，我是有過這個境遇。夢也有五輪，也有連續的夢好像看章回小說一樣，今天早上夢醒了，夢醒了昨天的事忘了，到睡覺時間了，一睡著了那個夢又跟著接上來了，前一回沒了，下回繼續，有時能繼續很長的時間，人生就是在夢中。

所以《金剛經》上說：「如夢幻泡影。」那確實是如夢，大家將來可以研究夢，很有學問的，把夢研究完了，我們活著還是在做夢，這個夢長一點，不論苦、辣、酸，你所有的經歷是一夢。所以永嘉大師〈證道歌〉裏有這麼幾句話：「夢裏明明有六趣，覺後空空無大千。」因爲你在夢裏看見，又是人又是天，又是鬼又是畜牲，醒了什麼也沒有。所以佛總是教導我們說，衆生在大夢當中永遠不醒，醒了就知道了。

我的意思是要大家做觀想，地獄的苦難不要觀想成是實有的，而是隨你的業、隨你的心起的變化。有些自稱斷見，社會上有些人認爲地獄、天根本沒有，就死了，完了；所以他就什麼業都沒有做，你的業你的罪還非受不可，要是沒有因果還得了；但因果是緣起的，你要是證得性空了，緣起就是假的，當你沒有證得性空，緣起就是眞的。

現在我們頭痛腦熱，你說當假的，可假不了他痛，確實很苦！你說這是假的，沒有關係，你要是眞正的把身體觀假了，那你不痛苦了，你就不做夢了，要這樣來理解地獄。但是當我們造罪了，地獄也是眞的。我們經常說眞眞假假虛虛實實，我們一生就是眞眞假假虛虛實實，一下子很富貴很高興，股票一跌馬上就很窮，就是這麼反反覆覆的。你說假的，現在災難重重，到處是水災，也有戰爭也有火災，你說假的，等到你身受的時候一點也假不了，眞正的觀修成了，就是假的，在這個世界上還去度別人，叫別人認識這是假的，這就是大菩提心。

以下是勸人修齋，說到解藥了。

「復次，長者，如是罪業衆生命終之後，眷屬骨肉爲修營齋資助業道，未齋食竟及營齋之次，米泔菜葉不棄於地，乃至諸食未獻佛僧，勿得先食，如有違食及不精勤，是命終人了不得力；如精勤護淨奉獻佛僧，是命終人七分獲一。」

供養大衆齋，「齋」就是期的意思，佛教講齋是有限期的，不要一天到晚吃，永遠吃東西，一會含一塊糖一會吃塊餅乾，那就是數數吃，不叫吃齋，我們出家的比丘，過午不食，一過了中午的界限以後不能吃。這裡專講供齋的意思，要是有罪業的衆生，他命終死了之後，他的眷屬骨肉給他營辦齋飯，齋就是飯。

「資助業道」，就是幫助他往善業道，天、人是善道，惡鬼、地獄就是惡道，資助他的善業，往善道上走。齋跟沐浴兩個是相連著的，要是祈禱或做什麼佛事，得先洗澡、沐浴穿上潔淨的新衣服。還得修心，心裏正念現前，念佛、念法、念僧。所以眷屬骨肉爲他修齋，是爲了幫助他生善道。在營辦的時候、淘米的時候，要乾淨，不要灑的滿地都是米，洗菜的時候不要滿地都是菜，把它淘得乾乾淨淨，洗得乾乾淨淨就是不浪費，做好了一定要先供佛供僧。僧可以代表聖僧，不一定要請到家裏，像你供羅漢僧、舍利弗、目犍連這些尊者像，都叫聖僧像。你做好了飯菜，打齋的時候，沒有供佛供僧之前你不能吃，要是先吃了，就沒有功德。如果你亂拋灑洗，滿地都是米，滿地是菜，也沒有功德，如果違背了這個教導，你所得的功德跟其它的功德，迴向的功德都沒有了。

「如有違食」，如果違背了這個規定去供，非法，不但沒有功德還有罪。

「如有違食及不精勤」，「精勤」兩個字專指米跟菜業不棄於地，洗菜洗米的時候不要糟蹋糧食，如果違背，不精勤了，那個命終人得不到好處，資助不到他的業道，得不到好處。假使精勤護淨都做到了，又供佛齋僧了，是命終人七分獲一。前面不是說做佛事七分，亡者得一分嗎？營齋的功德也如是，得了七分的功德，臨亡的人只得到一分，另一面就是你現在健康的時候自己做，分分皆獲，七分你都得到。

「是故，長者！閻浮眾生若能爲其父母乃至眷屬，命終之後，設齋供養，志心勤懇，如是之人，存亡獲利。」

「存亡獲利」，活的人跟死的人都得到好處，怎麼樣才能得到好處呢？「精勤護淨」，先供養佛僧，爲什麼出家人吃飯要念供啊？在吃飯時念個咒語，念三遍或七遍都可以，不要出口只是默念，你看每一位和尚吃飯都要供養、合掌，那就是供養了，上供諸佛下侍眾僧，那就是供佛及僧了，心裏一作意就是了。

所以說他的父母或者眷屬給亡人做佛事的時候，供齋一定要這樣做。到廟裏打齋供衆，你怎麼迴向呢？你布施給一切衆生，完了給現世的自己，生前就求了福德，我看打齋供衆的往往不是寫一個人的，乃至於父母、家庭、眷屬，把名字都寫上了，人人有一份，都算他們現生所做的功德，那不只是自己得了，但是這個有局限，你應該把這個功德普遍供養一切法界衆生，這個功德就無窮無盡了，不要先迴向給自家眷屬，這就是《華嚴經》的境界了。我附帶在《地藏經》上說的，你供養法界衆生，你一發心一動念，念念都念到法界衆生，不只是閻浮提，那麼你的功德就念念無窮無盡的。

「說是語時，忉利天宮有千萬億那由他閻浮鬼神，悉發無量菩提之心。」

這是指在法會上發心的人有好多呢？有千萬億發心，發什麼心呢？發菩提心，凡是說到發菩提心的，都是大乘經，不是小乘經，把這個齋僧修福薦亡，拿去利益衆生。怎樣利益衆生？就是要發菩提心，菩提心就是覺悟的覺，發菩提心有三心，即直心、深心、大悲心。直心是正念，身如法智心，正念眞如就是念佛性，念我們自己的本性，曉得心佛衆生三無差別，就是一心，這叫直心，正念眞如，這一心一個是體，一個是在諸佛，在我們衆生就是造業，就是一心二門，心眞如門，心生滅門，隨著心生滅門，那就是轉了。

〈大乘起信論〉就是業、轉、現三相，完了，就是智、取、相續、計，名字、起業、業繫苦相，我們最初造業，一但造業就被業縛住受苦。現在我們翻過來了，執行正念眞如，念直心的體，無苦無樂，清淨無染，盡虛空遍法界，不論是有情世界、無情界都是一體，就這麼一個總體直心，正念眞如發菩提心的人，就是執行正念眞如。這個要假方便，這種功夫恐怕一時之間做不到，假什麼方便呢？在菩薩說，就是行六度萬行，簡單一點說就是度衆生，度衆生叫什麼呢？叫深心。深心，一切法都要學，爲什麼學？他爲了方便利益衆生，方便法門利益衆生這叫深心。現在我們普遍用的都是第三心，就是大悲心，菩提心就是大悲心，讓自覺悟、讓他覺悟，讓衆生自他都覺悟，究竟成佛。這個大悲心不是愛見大悲，像我們利益眷屬，都在情當中，屬於愛見大悲，這個菩提心不是愛見大悲，對一切衆生都平等，拔他們一切苦，給他們一切快樂，這樣的大悲心到究竟了也無苦無樂了。認識度無苦無樂，認識到度衆生沒有衆生可度，這是眞正的發菩提心了，這又回到直心正念眞如了。

地藏王菩薩在忉利天宮說的這個法，就是修福德、利益衆生的法，而且聞法者就悟到得了無量菩提心。前面講的是利益鬼神，這個地方鬼神是發心了，誰教他的？佛跟地藏王菩薩教的。發什麼心？發菩提心。得到什麼利益呢？解脫。眞正使亡者自己解脫，莫要再來人間受罪了。

所以說佛是福慧兩足尊，在印度有這麼兩句話：「修福不修慧，香象掛瓔絡，修慧不修福，羅漢托空缽。」我在西藏拉薩就看到達賴喇嘛養了幾匹馬，從來不騎，養一匹馬得派兩個人服務，而且每匹馬都戴著珊瑚寶貝。吃什麼呢？一天要吃兩口袋的貝母，也就是我們做藥材的貝母，免得馬哮喘。我說這些馬都是前生修福，但是沒有智慧。我們要修行就看這社會的情況，可以去分辨，你自己多用點心，你瞪著看就不行了，觀山不是山，就是這個意思。你必須以另一種境界來看。

有些在哲蚌寺、色拉寺學經的喇嘛，一心的學經，他不出去打工，西藏的喇嘛生活自理，沒有人供養，你不打工沒有錢，自己掙吃或者掙幾個月帶上幾口袋的糌粑，去廟裏住著學經，糧食吃完了再去掙，沒有人給。西藏喇嘛都是自理。有的喇嘛節省吃糌粑，就是炒麵乾，很節省的吃，都不如那匹馬，這就是修慧不修福，前生沒有福德今生就受罪。但是在本人身上，這喇嘛認爲受苦不受苦沒有這感覺，他樂在其中，有智慧的人是這樣的。你說那匹馬再享受多好，還是畜牲不能念經，不能拜懺也不能禮拜，他沒有三寶的概念，修福好？修慧好呢？還是修慧好，最好是兩者一起修。有福德了要多布施，這叫福慧雙修。因此忉利天宮千萬億那由他閻浮鬼神，他聞了法之後，發菩提心得解脫成佛果。

「大辯長者作禮而退。」

這個會上是講法的利益存亡，是大辯菩薩向地藏王菩薩所請的法。

閻羅王衆讚歎品　第八

第八品是閻羅王讚歎地藏王菩薩的功德，「閻羅」翻成華文是什麼意思？就是縛罪人的意思，閻羅王專管生前犯罪的人，犯了罪在人間可以用狡猾的手段掩護，等到了閻羅王那裡，他就把你縛住了，你想狡辯也不行，那個地方無法狡辯，這就是閻羅王的意思。

閻羅王不是一個兩個衆生，因爲到忉利天集會來的不只這一個世界，無量的世界就有無窮無盡的閻羅王，閻羅王有很多的刑具。四川酆都縣，據說就是閻羅殿，遊客經常往底下丟鐵索、腳鍊，我到那個地方覺得很可笑，閻羅王不會要人間的東西。洞裏經常聽到風聲，鐵索腳鐐永遠在響，那是地底下風吹的關係。我剛才講地獄是你自己的業現，這個劍樹、油鍋什麼的都是自己自然現前的，什麼現前呢？你的業感現前，就像我們沒有受過什麼苦難，遇到什麼不順心，是你自己反應出來的，自己感應的。就像我們走路，有陽光照就有影子，那影子就是你，如果沒有你，那個影子也沒有了，如果你的心念沒有了，地獄也沒有了，這必須得正確的觀照，必須正確對待。

「爾時，鐵圍山內，有無量鬼王與閻羅天子俱詣忉利，來到佛所。」

這是敘述在忉利天宮，鐵圍山有很多的鬼王有無量鬼王與閻羅天子俱詣忉利來到佛所。閻羅王的宮殿，就是他治理一切死後人的地點，判案的地方，這座城有六千由旬這麼大，閻羅王的閻羅城有七重，也是七重欄楯七重羅網，裏頭都是地獄。十殿閻羅所屬的就是鬼王，除了閻羅王還有很多的鬼王，聽他的統率來治理鬼的，管理各個地獄，哪些鬼王呢？一共有三十四個名號。

「所謂惡毒鬼王、多惡鬼王、大諍鬼王、白虎鬼王、血虎鬼王、赤虎鬼王、散殃鬼王、飛身鬼王、電光鬼王、狼牙鬼王、千眼鬼王、噉獸鬼王、負石鬼王、主耗鬼王、主禍鬼王、主食鬼王、主財鬼王、主畜鬼王、主禽鬼王、主獸鬼王、主魅鬼王、主產鬼王、主命鬼王、主疾鬼王、主險鬼王、三目鬼王、四目鬼王、五目鬼王、祁利失王、大祁利失王、祁利叉王、大祁利叉王、阿那吒王、大阿那吒王，如是等大鬼王，各各與百千諸小鬼王，盡居閻浮提，各有所執，各有所主。」

鬼王的名字我們不說了，顧名思義就可以了，大鬼王還有好多的小鬼王。「盡居閻浮提」，是專指閻浮提的，「各有所執」，「執」就是所管的事情，所當的執司，各有所主。

「是諸鬼王與閻羅天子，承佛威神及地藏菩薩摩訶薩力，俱詣忉利在一面立。」

他們之所以能到忉利天，是假地藏菩薩的威神力，和佛的加持力。到了之後在一面立，當然就像與會的大眾，大菩薩有大菩薩的位置，也像我們的次序一樣！這些鬼王都站在他們應站的那一方面，他們也是來請法的！

「爾時，閻羅天子胡跪合掌白佛言：世尊！我等今者與諸鬼王，承佛威神及地藏菩薩摩訶薩力，方得詣此忉利大會，亦是我等獲善利故，我今有小疑事敢問世尊，唯願世尊慈悲宣說。」

這些人來向佛請求，他說：「世尊，我們現在這幫鬼王都是承佛的力量跟地藏菩薩摩訶薩的力量，才來到忉利大會，也是我們的善力；我們過去有這個業、有這個善根，今天得以參加這個盛會，我有點疑惑，敢問世尊，唯願世尊慈悲地向我講一講。」他的疑惑是什麼呢？那麼大的神通爲什麼衆生度不盡呢？還有地獄，他就這麼一個疑惑，佛就答應他的請求。

「佛告閻羅天子：恣汝所問，吾爲汝說。」

「恣」就是隨意，隨你的意，想問什麼就問，你問完了我跟你說。

「是時，閻羅天子瞻禮世尊及迴視地藏菩薩，而白佛言：世尊！我觀地藏菩薩在六道中，百千方便而度罪苦眾生，不辭疲倦，是大菩薩有如是不可思議神通之事，然諸眾生獲脫罪報，未久之間又墮惡道。」

第八品是閻羅天子跟諸鬼王請問，向佛請問一個法，什麼法？懷疑，因爲前面他參加這個法會，聽到了很多地藏王菩薩的不可思議的功德，有這麼大的功德、有這麼大的威神力，閻浮提的衆生怎麼會度不完呢？他是掌管地獄的，因爲他看見地藏王菩薩度衆生出了地獄，沒有好久這些衆生又回來了，他對這件事有懷疑，懷疑什麼呢？懷疑地藏王菩薩的威神力眞的有這麼大嗎？這種懷疑恐怕是向我們說的，我們每念《地藏經》知道經的道理，聞到地藏王菩薩的名號，就不再墮三塗、不下地獄。鬼王和閻羅王看不是這麼回事，經過地藏王菩薩度了，他沒有得到解脫，又去造業又回來了，這一品就問這麼一件事。

閻羅天子瞻禮世尊及迴視地藏王菩薩以後，他就請問佛，世尊允許他，「恣汝所問」，就是你問什麼，我都會向你解說。下一段經文就是請他問佛，地藏菩薩代衆生受苦，使餓鬼得飽滿，使地獄衆生得離苦能生天，讓他們離苦得樂，不辭疲倦。菩薩利益衆生沒有疲勞厭倦的時候，不論衆生怎麼不聽話，菩薩耐心的度脫他，就像父母對子女，不管子女怎麼不聽話，父母都是想一切方法慢慢引導他，給他說法，菩薩度一切衆生，比父母對待子女還要親切，可是衆生對菩薩的教導是懷疑，懷疑就是不信，信了就不會懷疑了，懷疑了還有什麼信呢？這是一種。或者半信半疑，這一品就針對半信半疑提出問題，他說地藏王菩薩不辭疲勞，很辛苦的來度衆生，「是大菩薩有如是不可思議神通之事」，要是這樣的話，衆生獲脫了罪報，就能永遠離苦，可是爲什麼未久之間又墮惡道，又回來了。這是閻羅王所疑惑的。

「世尊！是地藏菩薩既有如是不可思議神力，云何衆生而不依止善道永取解脫？唯願世尊爲我解說。」

地藏王菩薩有這種神力，反過來說，應當使一切衆生永取解脫了，永遠不再受苦，也就是說他證果了，乃至於只證得二乘也好，他已經解脫生死六道了，但是不是這麼回事，因爲衆生旋出旋入，離開一下子又回來。

我所請問的就是這一件事情，既然菩薩有這麼大的神力，爲什麼不把眾生度完了讓他得解脫？就不應該讓他再墮三塗、再墮地獄了。

「佛告閻羅天子：南閻浮提眾生，其性剛強，難調難伏，是大菩薩於百千劫頭頭救拔如是眾生，早令解脫，是罪報人乃至墮大惡趣，菩薩以方便力拔出根本業緣，而遣悟宿世之事。自是閻浮眾生結惡習重，旋出旋入，勞斯菩薩久經劫數而作度脫。」

就佛所宣說的，這個世界的衆生不好教化，這裡指的是習性，我們講習種性和性種性，「剛強難調難伏」指的是習種性，不是他本具的法性，因爲理體的法性本來就是柔和善順，無有悖逆，因爲這個剛強難調伏的性格是由瞋恨心習染得來的，所以不調和，不順法性，這就是地藏王菩薩反覆教化的原因。

從這一段經文就知道我們的習種性是根深蒂固的，產生在什麼地方呢？產生在任何事情都以「我」爲主，我執、我見、我愛，都是從我而出發的。

世間一般贊成剛強的人，認為柔和了好像沒有出息，所以必須有個性，其實這是不順法性的，是錯誤的。創業需要不需要呢？看從那種觀點來講，在世間法認為這樣是對的，出世法呢？不對的！衆生聞到善法不能堅持，不堅持的原因就是懷疑，信不完全具足，因為娑婆世界南閻浮提衆生的剛強難調難伏，所以菩薩經過百千劫乃至無量劫，救拔一回又一回，本來這些罪報的人要讓他早得解脫，不使他再墮惡趣。菩薩以方便力要拔出他一些造罪犯罪的因緣，令他悟得過去所做的善業，使他善業增長，惡業消失。

「頭頭救拔」，就是無論在什麼地方、什麼時間，時時救拔他，救拔他是因為他受苦。像這一類的衆生經過菩薩救拔，一直到得解脫，乃至於罪惡很大，達到了五逆十惡的，菩薩還是慈悲不捨，還是給他宣說，哪怕他墮到阿鼻地獄大惡趣，菩薩是以種種的方便力來度脫他，拔出根本業緣。這個根本業緣說得很深了，業是因緣，是外邊的環境促成他，業要感果，如果沒有這個業因，那個緣就不成，業就是因，再加上客觀的環境形成的，所以他墮惡如是，修善法也如是。

現在我們的業有善業，再加上有一個機會，聽到有人勸你念地藏王菩薩聖號，這就是緣。而如何拔除過去根本造罪的業因，成長現世的善緣！拔除過去根本的業緣，就是令他能悟到過去，宿世所做的罪業或者是宿世所種的善根。這樣善事因緣成熟了，就逐漸生長出善的結果，過去做的錯事，可以懺悔，消除過去的業障。我們前面講發心動念無不是業，那就說明了我們現在身所受的都是過去的果，你現在受的果就是你過去宿世的善業、惡業，種種業果，千差萬別的因緣。

你下決心修善法，若緣不具足也就沒有辦法。天天拜懺，拜〈地藏懺〉也好，拜〈占察懺〉也好，懺悔自己的罪業，但是生活逼迫你，緣不成熟，勉強的偷閒找時間來學一學，不能一心一意去做，爲什麼呢？沒有拔除「根本業緣」是不可能的，剛強的衆生難調難伏也就在這裡。不用說一般的道友，我們出家的弟子對這種道理人人都懂，也知道修行好，也是下不了決心來修行，道力連一半都還沒有得到，那個障緣使你做不下去，所以說道高一尺魔高一丈，種種的障緣都發生了。你要是同流合污，大家都這麼做，什麼問題也沒有；如果你想跟人家不一樣的，那就反過來，什麼障緣都會發生。

我們在家的道友上有老下有小，你說都放下了，什麼都不管了，命也不要了，我就關上門修行，這是不可能的。你犧牲了別人的利益來求自己的利益，幸福也做不到。得要你的宿世的善根深厚，緣也很具足，才能夠培植你的善根，繼續增長你的福業，才能完全脫離。因爲閻浮衆生過去的惡習特別嚴重，所以說三惡道旋出旋入，在六道來回的輪轉，不停的變幻，勞斯菩薩久經劫數而做度脫。你問爲什麼地藏王菩薩有那麼大的威神而不能使他永久解脫呢？這就是主要原因。有的是無緣來度你，跟地藏菩薩結的緣沒有那麼深厚，他度起來所費的手腳、所費的功夫也特別大，如果兩個都結合了，他也度你，你這邊也努力，那就很快了，永脫生死了。

因爲閻浮衆生的習氣特別重，「惡習結業，善習結果」，惡習終究是要造惡因，所以善果不容易成，如果造的善因逐漸得到善果，惡因就消失了，這在法上恐怕不容易理解，所以佛又跟閻羅王說個比喻。

「譬如有人迷失本家，誤入險道，其險道中，多諸夜叉及虎狼師子、蚖蛇蝮蠍。如是迷人，至險道中，須臾之間，即遭諸毒。」

這是一個比方，舉世間容易懂的現象來說明。假使有個人迷了路，走到險道，走到有毒蛇或者獅子虎狼的地方，走到有夜叉的地方，這僅僅是比方，比方你所造的業，你所起的貪瞋癡這些實質煩惱的業。我們生起了種種的壞念，起了符合三惡道的念頭。夜叉又分數級，行走特別快就是夜叉鬼，有天夜叉，有吃人的夜叉。獅子虎狼不用解釋了，蚖蛇蝮蠍都是毒蟲。這個人在危險的道路中遇到這些，可能就受毒，也許被虎、狼、獅子、夜叉吃了，「須臾之間」就是很短的時間，你到惡道了，不是被夜叉吃掉，就是被老虎獅子吃掉；還有碰到毒蛇，中了毒很快的死亡。

再重新講一次這段經文的意思，「有人迷失本家」，「本家」是什麼意思呢？就是自己的眞如妙性。迷失了眞如妙性就走到六道輪迴了，天、人都算是險道，六道裡面都是虎狼獅子夜叉一切毒蟲蚖蛇蝮蠍，你的法身慧命已經喪失了，就是迷失了本家。這個人不當「人」字講，不指哪一個人，當「忍」字講，忍可的忍，就是忍辱波羅蜜的忍，忍可什麼呢？忍可受苦，能忍受輪轉五濁惡世的痛苦，迷失了他本有的常寂光淨土，法性的法身，這叫本家誤到險道了，這就成了無明塵沙見思煩惱，一切諸禍，這就是六道輪迴的生死因果。不是生天還受妙樂嗎？那個妙樂不長的，那是生滅法，也是在生死根本之內，天人雖然比地獄惡鬼畜牲輕鬆一點，但根本的痛苦沒有解除，只是暫時的安靜一下。

在《正心地觀經》中說，我們的心就是夜叉，爲什麼說心是夜叉？他能把你一切的功德都吃盡了。本來我們在生活當中或信念當中還有一個善的影子，還要做一些好事，還要利益人家，有時候忘我的精神還有，有時間注重別人的利益不多考慮自己，雖然是短暫的但還是有的，特別是我們佛教徒，不論好壞他有時候一念間想起佛的教導，眞性還不會完全消滅的，有點功德做點好事，但由這個心的惡念就把他吃掉了，就像夜叉一樣，獅子虎狼蚖蛇蝮蠍，就是我們身口意的三毒。身三就是殺盜淫，特別是盜業很容易犯的，愛佔小便宜的人很容易犯盜戒，總想佔便宜，欺騙違背自己的心，佔別人便宜。有盜心必有盜事，這個戒很難持。受了三歸五戒，盜戒都受了吧？我不偷人家東西就好了吧？不是那麼簡單，沒有給人打招呼，動用人家的東西，都犯盜戒的。

殺業有幾種，殺因殺緣殺法，我沒有殺心，造了殺業，這個罪過很輕。譬如我們走路，或者蚊蟲螞蟻這些小動物，不知不覺的把它傷害了死了，這是殺業，但沒有殺心，也沒有想種種方法去殺害它。如果你打老鼠，用夾子，或設藥物毒死老鼠，這叫殺法殺業具足了，但這是殺畜牲，殺畜牲在比丘戒或三歸五戒裡頭，還算輕。主要是指殺人，菩薩戒也是一樣的。因此，殺業是有分別的。這是身業。

口業呢？妄語、兩舌、惡口、綺語，最容易犯的是綺語，隨便的聊聊天、擺個閒話，一天當中這個時間佔去不少，對生死沒有什麼意思。往往因爲這麼閒談，談出了很多是非，也造了種種的業。

妄語就是欺騙說謊話，我看這個業也很不容易守得住。小孩跟父母不說眞話，用種種手段說假話，這都叫妄語，也就是言不由衷違背良心，你自己明知道這不是眞實的反而欺騙他，這種也容易犯。

挑撥是非就是兩舌，都是有意的，這叫身口七支。覺悟高一點的人，道行好一點的人，特別注意的人，還可以防範，犯的少；但是意業貪瞋癡犯的多了，貪包括很多，貪財貪色貪物質，反正貪心是無饜足的，這個大家都明白不用深講。瞋恨心不一定是想報復，對於你的家庭眷屬，以煩惱爲主的，對他發脾氣乃至生氣，這都叫瞋恨心，這是很容易犯，很難克制的。癡心就不用說了，人人具足，沒有智慧，這個癡就是根本無明，因爲不明所以就去造罪，因爲造罪所以就受報了，因爲不明白做的事情就落到惡因了，無心造的業也是無明，癡就含著善、惡，這是說根本的煩惱，癡很不好斷的，要想把它斷乾淨只有成佛。你在險道之中就是在六道輪迴中永遠出不去的，原因是什麼呢？有這麼多毒，走到險道就走到六道了，就像我們現在周圍客觀的現實環境，我們想清淨，得到了嗎？很難！

「有一知識多解大術，善禁是毒，乃及夜叉諸惡毒等，忽逢迷人欲進險道，而語之言：『咄哉，男子！爲何事故而入此路？有何異術能制諸毒？』」

「知識」就是一位明白人，我們可以說是善知識，我們現在講《地藏經》，這個知識是指誰說的呢？就是地藏王菩薩。「大術」就是他慈悲的善巧方便法門。他給你指示迷途，讓你脫離六道的法門，他有方便能夠使這個毒不能傷害到你，什麼法門呢？從前面到現在講了許多，你要怎麼懺罪，遇到客觀環境怎麼躲避，怎麼做好事，都是躲避這些惡毒的方法。

地藏王菩薩遇到我們，他就告訴我們說，你不要在這條路上走，不要進入六道，還不只三塗，連天人也如是，「咄哉」就是警惕你，讓你提高警惕，「男子」包括了女人，男子就是自己要脫離苦難的人，你爲什麼要到六道？你爲什麼要到這個道路上走？你有什麼方法能制住蚖蛇蝮蠍？有什麼方法能逃避獅子虎狼？你能夠制諸毒嗎？理上說，你能夠躲脫了地獄惡鬼畜牲這些三塗惡道嗎？你有什麼方法？但是他有方法，這一個善知識就是地藏王菩薩，他有許多的善巧方便能夠把毒制住，能制住你的貪瞋癡，能制住你的無明煩惱，叫你不要往這條道路上去。

「是迷路人忽聞是語，方知險道，即便退步求出此路，是善知識提攜接手，引出險道，免諸惡毒，至於好道，令得安樂，而語之言：『咄哉，迷人！自今以後，勿履是道。此路入者，卒難得出，復損性命，是迷路人亦生感重。』」

這位迷人聽到地藏王菩薩這麼一說，也就是我們大家聽到地藏王菩薩告訴我們說，這個世界險惡萬分，你想不掉下去、不遇到這些惡毒很不容易，我們知道了就找出路，找出路就是信佛，信三寶的加持力，求一條走出三塗的道路。怎麼樣的業才能走得出去呢？得假善知識力！所以我們說，修行必須有善知識護導我們，地藏王菩薩就護導我們，他把我們拔出惡道，提攜接手，牽著我們出去，就像我們天天念地藏王菩薩聖號，天天念《地藏經》，就是地藏王菩薩接手引我們出三塗的險道，到什麼道呢？產生正知正見，堅持行戒定慧，息滅三塗煩惱，這就是好道。

走這條好道的方式，例如我們現在讀誦大乘，禮拜、打坐、思惟、觀想，這全是走到好道，用這些方法就能使我們再不落三塗，這一段經文是地藏王菩薩教導我們的，它一共是十三品。從第一品之後，每一品都有每一品的修行方法，我們罪惡衆生怎麼辦，持聖號、拜懺，〈地藏懺〉和〈占察懺〉是相同的，要是其它的法門我都做不來，我很愚癡，怎麼辦呢？你念地藏王菩薩就跟地藏王菩薩結合了，你天天念他，他就來接手了，他一接手就把你引出惡道了，再不受諸毒了。可能不可能呢？這一點就是閻羅天子他們所懷疑的，他說：「地藏王菩薩有這麼大的力量把人度出三塗，爲什麼他又回來了？」釋迦牟尼佛說：「剛強衆生難調難伏，地藏王菩薩提攜你出去了之後，他認爲你已經安穩了，其實不然，你的愚癡心又來了，剛強，總是堅持我是對的，因爲我對的原因，所以認爲我走的道路不會錯，時而信，時而又不信。」

凡是一位善知識成熟的弟子，他不敢保證，不但善知識不敢保證，佛菩薩也不能讓一切衆生不造業，釋迦牟尼佛不能夠讓他的弟子不造業，不信他的不說，魔子魔孫更不說，就是信他的弟子，他的業也保證不了，爲什麼呢？

假使說釋迦牟尼佛能保證，就不會囑託彌勒菩薩了，也不會在《地藏經》上一而再、再而三的囑託地藏王菩薩，假如末法衆生對佛法有一點點的信受，你一定把他度脫不要讓他墮三塗，這是我個人體會的。換句話說，釋迦牟尼佛認爲他這個弟子還是靠不住，爲什麼靠不住呢？今天信了，明天又不信了，這輩子來了，把前生都忘了，後來廣造衆業了，不修行了，所以他輪轉的時間很長的，不只地藏王菩薩，觀世音菩薩，普賢菩薩，文殊師利菩薩都如是不能保證，因爲衆生的習種性，惡習太深了。

舉個例子，就是吸毒的人，他自己知道的，吸毒吸到家破人亡，妻離子散，他寧可死，即使他一文錢也沒有，也買不到的時候，他沒有辦法還是要吸。我以前問過兩位賭博的人說，你不賭可以嗎？他說制止不住，凡是做壞事的人，你問問他，這就是習慣，一個人思想的習慣力支使他的，迷了，自己做不了自己的主。

當我們做一個事業，要想發財，在你的事業上有個基礎的話，要費多少的心血？要出多少力呢？何況要永斷生死？那我們自己就要明白了，我們所付出的，能換得這樣一個不可思議的代價嗎？能不能？我們自己心裏很清楚，不可能的。怎麼辦呢？「咄哉」，就是隨時自己警惕自己，不論做了什麼，心裡所想的，把所做的事業全部迴向給聖道、善業，這個你能做得到的，隨便你做哪一種事情，我們如果開一間珠寶店，我想讓一切衆生都得珠寶，你發了這個願，心裡這樣想，一邊賣珠寶，完了你就想，不只給一個人珠寶，願一切衆生都得珠寶，願一切衆生永遠不受貧乏，願一切衆生都能隨意滿足他自己的願望。

現在的衆生都被苦惱所逼，每位大菩薩都發願消除我們的苦惱，我們求他們，但一定要至誠心，他這邊接手，你要伸手，他接手你不伸手，他也拉不住你。等引出了險道，還要囑託你，「而語之言，咄哉迷人」，就是警惕說，你迷了、走到這條道上來了，以後你可千萬不要走這條道上了，入了這條道就出不去了，入者容易出者難，你的性命很容易喪失。當然是迷途知返，經過這位善知識這麼一指示他，他知道了，他說：「這條路不再去了。」但業不由己，現在我們道友誰不知道這個世界苦得很，無論任何人都在苦難之中過日子，有的說這家比那家好一點，這也是五十步跟百步之間。這個好一點是用了好多心血，但是要時時的憂慮，就連這一點也保不住，容易喪失。業所牽引的，怎麼辦呢？就得時時的注意，讓我們的思想不要放逸。

「臨別之時，知識又言：『若見親知及諸路人，若男若女，言於此路多諸毒惡，喪失性命，無令是眾，自取其死。』」

這是囑託！不但自己不再走上這條路，並囑託自己的親友，自己所認識的人或是過路的人，都告訴他們，說這條路有毒蛇、有獅子、有虎狼，不要走，如果進去了，走到這條路上，你的性命就會喪失了。讓一切眾生不要自取滅亡，這條路走不得。這就是說你不要造業，如果造了惡業，所受的業果也躲不了。

但是就像人在清醒的時候，他知道他做什麼事，他不能亂來，喝醉酒的人他就不知道，糊裡糊塗的，不由自己，這是一種。像我們看搶劫的事件，天天都在發生，他知道那是犯法的，要是僥倖搶到了，沒被警察抓到，最後也跑不脫，他爲什麼還要做呢？這就是迷了，這種不勞而獲的手段就是搶人家，是不得行的，他拿什麼來換？代價很高，大家想想看，難道他不知道嗎？他要花那個代價來換取不一定得到的利益，而且還傷害到別人的利益，你說這種事做得對嗎？我們不做的人，看得很明白。我們現在一天到晚做些什麼？自己就不明白了，我們現在用什麼代價換取什麼東西？這是很嚴重的，要考慮到，我們用清淨無爲的性體來換什麼呢？來換暫時的口食之樂，或者穿得好一點，住得好一點，享受好點，乃至出門不要爛的車子，得買輛七、八萬的車子，那就看他的本事，財富愈大，他想的東西都要好的，這就是拿他的清淨無爲換取僅僅一點的安慰，但不是輕易得到的，用種種手段，愈富有的，愈高抬市價，壟斷經濟，想種種方法怎麼把別人的錢都壟斷到我這裡來。

我們看見用不當手段發財致富的，不必羨慕，按這段經文上講的，他是往虎狼獅子的道路上走，他喪失了清淨無爲的法身，愈走愈遠，貪心是無止境的，像冒險家到經濟罪犯，你說他是什麼心理狀態？他怎麼不會墮落呢？他當然會墮落，我們跟他比是不會這樣做，但也僅僅是五十步跟百步之間。

我們現在用有爲的身心，無常的身心來換取一個無爲的清淨世界，換取常寂光佛土，我們現在怎麼樣犧牲來換取那樣的後果，我認爲都是好的、值得的。但是若拿我們現在有限的生命力來換取社會上的一點點享受，這個損失太大了，這就是往迷途上走。

一切諸佛菩薩教誨我們不要走這種迷途，不要在這個地方貪圖一點點享受，一點短暫的幸福。在我們人間，有哪一個人生下來就是幸福，一直到死還是幸福？一個也沒有，歷史上從沒有一個人是這樣的。我們出家了，以修行換取將來的幸福，但是在你修行、學淨法的這一段時間不好過的，要經過一番徹骨的痛下決心。這是痛苦的階段，要跟你多生累劫的習種性來做鬥爭，所以爲什麼稱大雄大力大慈悲呢？這是慈悲，不是傷害，像阿羅漢翻「殺者」，殺什麼呢？殺這個罪惡，殺自己的一切業障魔障。所以我們應當思想，多想一想這段經文，就是讓我們不入迷途。

「是故地藏菩薩具大慈悲，救拔罪苦眾生，生天人中，令受妙樂，是諸罪眾知業道苦，脫得出離，永不再歷。」

地藏王菩薩具足了大慈悲，把這些罪業衆生都拉到人天中，這是一步一步的來，轉變三惡道業，生到人道中來，受點人道的幸福，但是這也得行善，不行善能做得到嗎？讓他們知道業道的苦，這個業道是指純粹的三惡道，永不再歷三惡道。怎麼辦得到呢？他就應當讀誦大乘，持誦禮拜，誦經念咒，都能辦得到，但是有一樣，你得持咒，持佛聖號，加上讀誦大乘，磕頭禮拜。

一天二十四小時當中你做了多少好事？好多的非善非惡，我們一般的人惱害衆生的事當然很少了，不會很多，但是你趣善的時候也不夠猛利，人人都想開智慧，得宿命通，能得到不能得到，看你怎麼做。你要是照著佛教導我們的，菩薩教導我們的，各個經論所說的，如法修行，很快就能得到。沒有如法修行，雖然也念佛也誦經也禮拜，但是做的仍然不夠！拜懺也好，念佛也好，持咒也好，隨便哪一門，有沒有晝夜六時，就是二十四小時都在做的？中夜時疲勞極了，讀誦大乘以至休息，這是說讀讀大乘經，是休息的時候做的！我們現在是正式的功課，你能做多少呢？不說諸位道友，像我們出家的，我們的職業就是修行，我們一天二十四小時又做到幾個小時呢？人家不知道，自己心裡有數吧！如人飲水冷暖自知，我剛才說的那個辦法就是隨時隨地的觀心，不要在形式上計較，非要磕頭禮拜才行，如果作夢的時候還在用心的修行，睡覺作夢的時候都在念佛，綿密不斷的，日夜相續，不要問後果了，絕對成就。現在雖然沒有明顯的境界，像佛菩薩現身或是看著蓮花開了見佛了，但是你能做到晝夜六時、綿密不斷的這樣修行，見什麼境界都是三寶的思想，這樣就已經成道了，不成道是做不到這樣。

「如迷路人誤入險道，遇善知識引接令出，永不復入，逢見他人復勸莫入，自言：『因是迷故，得解脫竟，更不復入。』」

「逢見他人」，遇到那些沒遇到善知識的人，你就做善知識，勸他說這個道就是三惡道，千萬不要去，去了永遠出不來，苦難特別大，我就是因為迷了，墮落過，現在我解脫了，再不去了，你千萬不要走到那條路。

「若再履踐猶尚迷誤，不覺舊曾所落險道，或致失命如墮惡趣。地藏菩薩方便力故使令解脫，生人天中，旋又再入，若業結重，永處地獄，無解脫時。」

這是說有一類衆生惡習深重，難得解脫，雖經地藏王菩薩一再的教誨，但是難調難伏，也就是前面閻羅王所問的，他雖然離開了，又進去了。「猶尚迷誤」就是說他沒有明瞭，現在念念地藏王菩薩聖號，或者來生又迷了，或者在他內心善惡交雜，善業一盡，福報一盡了惡業又現前了。爲什麼呢？信不具，信心沒有生根，反反覆覆的，他把過去落險道的事全忘了，地藏王菩薩以方便力使他解脫生到人天中，但不徹底！前面我說過，生人天中，人天的福報享盡了，他又造了業下去了。特別是在人道，在天道他只享樂不會再去修了，現在呢？有兩條路，凡事走惡的多，走善的少。

舉個例，在大陸文化大革命的時候，都是殺人放火乃至於要佛教徒一律還俗，他們把廟裏的和尚、尼姑庵的比丘尼都攆到街道上去。沒有辦法！人類求生存的心理還是比別的強盛，那就還俗！到工廠打工，比丘跟比丘尼結婚了。不怕犧牲生命，堅持佛教，這樣的人有沒有？還是有的，我曾遇見一個寧捨生命不失道的，她還是熬過來了，是在五台山的通願法師，她是比丘尼，我很尊敬她。到美國來，我還一直想辦法維護她的道場。也有很多大德在這個時候喪失報身了，就像能海老法師。有好多，不只是一個兩位，或者跳了放生池了，自己放自己的生了，這樣的人我說他會成就的。多數人在這種環境下總是敵不住業，也知道三塗的惡果，但是沒有辦法，現生的具體現實面前還得造業了，還得聽別人吩咐。這是客觀現實的環境，因爲你有這個惡因，所遇到的現實就是這個惡果，逃不脫，想逃也逃不脫，想不去，辦不到，非去不可。

「爾時，惡毒鬼王合掌恭敬白佛言：世尊！我等諸鬼王其數無量，在閻浮提或利益人，或損害人，各各不同，然是業報使我眷屬遊行世界，多惡少善，過人家庭，或城邑、聚落、莊園、房舍，或有男子、女人修毛髮善事，乃至懸一旛一蓋、少香少華，供養佛像及菩薩像，或轉讀尊經，燒香供養，一句一偈。」

這些鬼王的數量很多，數不過來就用無量代替了，言其多也。「在閻浮提」，就在我們這個世界上也有一些鬼王是利益人的，這就是善神、善的鬼王，有的鬼王是損害人的，那是惡神。因爲是鬼神不是菩薩，他的瞋恨心特別重，你要是聽他的話、照他的做，他就護持，你要是不聽他的話，他馬上就整你，報復你。我們北方扶乩的，就是這種關係，鬼神在人間有時候做損害人的事，有時候做利益人的事，各個鬼神都不一樣，但是這些鬼王都是受業報所使的，這些眷屬在世界遊行，做惡的多修善的少，對於衆生利益少，惱害衆生多，乃至於讓衆生做惡，這些鬼神所要祭祀的都要血食，他不是吃素的，鬼神差不多都吃血食，供鬼神還要供酒。

在西藏的時候，我看西藏的寺廟，殿裏頭都供酒，他們說是供護法神的，爲什麼要供酒呢？鬼神要喝酒，密宗所供的酒叫什麼呢？甘露，他假咒力把酒便成甘露。

所以要靠我們自己的信心轉境而不被境轉！人家說是菩薩，我們就觀想他是菩薩，像我剛才所說的殺牛殺豬的，菩薩是放下屠刀立地成佛，他不放下也能成佛，這是我的看法。爲什麼不放下也能成佛呢？他雖然是殺生的，他願意代牠受苦，做牛做羊多苦，「我給你一刀別再受苦了，我送你生極樂世界，我替你受苦，我下地獄。」能發這樣的心，不是大菩薩是做不到的。

現在我們用心力來做，用心能轉境，轉變現前的境界，人家說濟公活佛是羅漢，我說濟公活佛已經是大菩薩了，他能轉境爲利益衆生，他示現的也是喝酒吃狗肉，他吃狗肉能吐出來變成狗，你能變嗎？你能把牠送到生淨土去嗎？能送到就可以吃。

我講個故事，大家都知道鳩摩羅什法師翻譯的經典最多，很了不起，後來國王姚興要他娶妻，這麼大智慧的人不留個後代還行？給他撥了好多宮女，他的弟子看了，老法師都娶妻了，我們也可以娶，大家都想娶妻。這一天鳩摩羅什法師特意的，讓大家今天過堂的時候，跟行堂的人說，去買繡花針和縫衣針，每個飯碗裏不要添飯，什麼都不添，每個碗裏都放些針，大家看著誰也不敢吃，吃了就死了，針能吃得下去嗎？後來他說：「都拿來給我吃，沒吃的都拿來給我吃！」都倒到他的缽了。他一邊吃一邊倒，把針都吃了，他沒有死，顯神通了，每一個毛孔出現一根針。完了，他說：「呑得針娶得妻，如果是想娶妻，可以把針呑了，你呑不得針娶不得妻，我娶妻子我呑了針，我能呑，我也能把它化出來！」故事是眞是假呢？反正〈高僧傳〉裏記載，眞假我們不管，你能夠做到菩薩做的事情，就去做。

在《長阿含經》裏頭，佛告訴比丘，一切人民所居住的處所，都有鬼神，至於街道、墳地、山上的樹林，佛稱森林爲鬼神村，沒有一個地方是空的，說明鬼神住的處所相當的多，他依著什麼地方叫什麼名，依著什麼人就教什麼名。這是引證《長阿含經》所說的話。

鬼神有幾個住處，住處說得最詳細的是〈大毘婆沙論〉，比《長阿含經》說的還長，還完整；說這個住處的地點在我門娑婆世界下五百由旬，就是惡鬼的世界，也就是鬼神的世界，都是閻羅王領導。

在《長阿含經》，佛還告訴比丘說，一切男女出生時都有鬼神隨著，守護你，出生的時候就有鬼神守護。死的時候有鬼神擾亂。人將死沒死的時候，神識錯亂，是因爲鬼神的作弄，這是經上明說的。後面主命鬼王說的也是這一點，你雖然做善事，但是有那些鬼變現的六親眷屬來擾亂你，定力必須很好。為什麼要有人助念呢？就是防範這些鬼神來擾亂。凡是「轉讀尊經」都是指《地藏經》說的，燒香供養或者讚嘆一句一偈，或者供養全部的功德更大了，你要是念完了，把《地藏經》擱到地藏像前供起來，功德很大的。

「懸一旛一蓋」，「旛」就是我們看那個紙做的扁扁的，有時候我們拿紙做的接引的那個旛；「蓋」就是罩在佛菩薩頂上的，供養佛菩薩不論大小，我們拿紙做的也可以。「少香少華」，一枝香都算，一枝花也可以，供養佛、供養菩薩像，或者供養旛、供養蓋、供養香、供養花、讀經、念經，這些都算，這就是小善。如果我們用無量的意識，把它放大觀想，一枝香我們觀想它遍法界，盡虛空遍法界，以一枝香的力量供養盡虛空遍法界的佛，那這就不是一小善了，而是大善了。乃至你所做的，你認為很美好的東西，你供養佛菩薩加上觀想力，這就是大善。

這裏面有很多的故事，有一部經叫《菩薩本行經》，是行菩薩行的經，經中引了一段話。佛與諸比丘到城邑聚落或者應供的時候，在路上天氣很熱沒有陰涼的地方，這個時候有個放羊的人，看天氣這麼熱，佛也沒有遮蔭的地方，他就拿些草編成一個蓋，就像我們編一個帽子似的，編好了，他就一邊走一邊拿這個蓋來遮佛，一直隨著佛遊行，但是放羊的人離羊群走得特遠了，就把這個蓋丟下回去了。就這麼一段路的關係，佛就微笑著跟阿難尊者說，這個牧羊人行菩薩道了，他這時候以一個恭敬心，用這個草編一個蓋拿手舉著給佛，以這個功德、這一個善念，十三劫不墮惡道。

十三劫不是十三輩子，要經過十三個劫，不墮惡道，以他拿草編的這個傘供養佛這麼一段路，可以經過十三劫的時間不墮惡道，這十三劫滿了，他的善根更成熟了，出家修道又經過多生累劫，乃至於成了辟支佛，這位辟支佛就叫阿那婆達。

這段話表現什麼呢？心量。就是用草編一個蓋，當然你要用金絲緞也很好，一般廟裏都用金絲緞，用緞子做或者用編的，用各種的原料珠寶，幢旛寶蓋，上面還有繡一些華幔，那就更尊貴了。要是不誠心呢？功德也只有現時的境界，你要是功德心大，信仰心大，誠懇心恭敬心，那功德就不可思議了。

在《佛說華聚陀羅尼經》上，佛又說了這麼一段話，「佛言若復有人於如來滅後」，「如來滅後」，如來不在世了，「行於曠野」，走在空闊的地方或是山上很僻靜處，要是見到有佛的塔、有佛的寺廟，你能在路邊摘一朵野花，或者是你發心拿碗倒上一點油插上燈芯燃著，或者是用點香，塗在佛像上，拿這個來供養。或者是你拿錢，現在我們就說五分錢也可以，一毛錢也可以，二毛五的也可以，拿這麼一錢供養佛像，不要管誰撿去，反正你供養佛像。你要是什麼供養都沒有，路邊有水，你拿東西盛杯水，供養佛像或者你看見佛像髒了，用一杯水洗洗除去不淨，或者是進到塔廟裏，一稱南無佛，稱我皈依佛，稱讚這麼一聲，百千萬劫不墮三塗，就這麼一個功德百千萬劫不墮三塗。

我引述這些經文，是讓大家增長信心，不要因爲是小事我們就不做，那些鬼神，因爲你做了這些事多少就圍著你，護持你了，一稱南無佛，百千萬劫都不墮惡道。《正法念處經》說，要是有衆生持香者命終生香樂天，從天命終得生人身，生大富家，這個功德僅止於此。如果再讀《地藏經》，轉讀尊經，或者諷誦《地藏經》或者讀誦其它的一切經典，讀什麼經都可以，只要是佛說的，一切的佛法都是超出三界的，凡是聽經的、聞法的，都有不可思議的功德，這部經就叫《佛說華聚陀羅尼經》。

在《菩薩本行經》裏引這麼一段話，「復次舍利佛是善男子善女人等受此是經殷勤聽聞」，這個指的的菩薩藏經讀誦解義，乃至爲方廣分別說，「當知是人復得十種功德，稱讚利益，何等爲十呢？」「一者成就機辯速慧」，答辯非常的迅速。「二者成就解辯慧」，都是說慧學的，菩薩藏裏頭都說慧學的。「三者成就猛力慧」，「四者成就迅吉慧」，「五者成就廣播慧」，「六者成就甚深慧」，「七者成就通達慧」，「八者成就無濁慧」，「九者常現前一切如來」，一切如來既得是已，以精美誦而爲讚誦，「十者善能理」。

爲什麼有這樣功德呢？因爲法是一切功德之母，至於讀誦或燒香供養，什麼經都可以，一句一偈，這部經殘缺不全了，你供養這麼一句一偈的經典，功德都有這麼大，均得善利，更不用說你去聽經，當你聽完一部經，功德更大了。

底下我引其他經文來證實。《涅槃經》上說，法是佛母，因此我連帶說一下，我們用經書來墊佛像，是不對的，廟裏藏經樓中是不供佛像的，要供佛，供在中間，佛像是低，經在高處，法有這麼重。我們現在是重佛重形象，不重法，拿著經時甩甩搭搭的，擱在下身或你包包放得很低下，這樣擱經都是得不到善利的，護法善神在那裡生瞋恨心，對你非常憤恨，說你沒有恭敬心，你開不了慧的，那十種智慧你一個也得不到的，必須生尊敬心，這是《涅槃經》裏說的。

另有一部經名叫《護法藏經》，佛言一切衆生欲出三界苦，必假法船，沒有法船度你，你出不去，出不了三界。法是清涼的，能除熱惱，法是妙藥，能治一切病，法是衆生的眞善知識，做大利益。一切衆生志性無定，我們的心一天到晚胡思亂想，沒有一定的，隨你所習的是什麼就染什麼，近善則習善，近惡則習惡，近惡友便造惡業，流轉生死無有邊際，近善就又起信淨心。

聽受妙法，必能令你離三塗苦，由是聞法故、聽經故、尊敬經故，才能減少受業。

我們引證這些經證明什麼？證明你做一滴滴好事，不要認為沒有人知道，很多護法神就在你周圍。我們有時候念念經感覺毛骨悚然，有時念念經發熱，有時念念經發冷，隨護法神的威德，也是你的力量跟他相應，護法神的功德比你的功德大，他在那站著來聽你念經，你在這裡念你不知道，他或者跪著來聽你念經，你也不知道，但你就有感受了。

我說說兩個祖師的故事，以前我對這個故事的信心不太大，但是當我到終南山，親自看到這個地點後，信心就堅定了。牛頭祖師，牛頭宗的禪師為什麼他的舍利塔建到終南山了，跟道宣律師對著？道宣律師是持清淨戒的，我們比丘受戒都依著道宣律師所著的《四分戒》，所以稱為〈南山三大部〉，都依著南山律宗學習的。牛頭禪師就是到道宣律師去參訪，道宣律師也尊敬他，說是你來了，今天你在這，等會兒天人送供我們倆一塊吃飯。他說了之後，一直等到過了午了，天人還沒有來，牛頭禪師說你打妄語了，還是我吃我的牛頭。他自己背著牛頭，他就煮牛頭吃。道宣律師很不以爲然，認爲你就算是菩薩，也破戒了，牛頭禪師也不跟他爭。後來他倆睡覺的時候，那時沒有很多地點，不像現在的寺廟很大，可以一人一個房間。他們住在洞裏頭，兩人都在洞裏頭睡，道宣律師就在那裡靜坐，牛頭禪師就倒在床上，倒在洞裏，就呼呼打呼，道宣律師聽他打了一夜呼，也睡不著覺，坐著也靜不了，第二天牛頭祖師就跟道宣律師說：「你昨天晚上破戒！」他問：「破什麼戒了？」他說：「你把一隻蝨子丟到地上，把這隻蝨子的腿摔斷了，這隻蝨子向我告你的狀。」道宣律師就知道牛頭禪師是了不得的人，也沒敢輕慢他。從這個故事就是要我們看人，不知道誰是什麼神通變化的，爲什麼？後來這位牛頭祖師走了，第二天送供的天人又給他送供來了，道宣律師就跟天人說：「你昨天沒有來，讓我打妄語，你昨天爲什麼沒有來呢？」天人回說：「我昨天到不了你的邊上，你這座山滿山盡是菩薩護法。」道宣律師就知道這位牛頭禪師是再來人，大菩薩示現。

你讀誦大乘了義不可思議經典的時候，一般的鬼神到不了跟前，如果你讀《地藏經》，像惡毒鬼王這些鬼王到不了你跟前，他只能到了遠距離。還有一方的護法神，還有一方菩薩，他近不了你這光明威德，到不了你的身邊。

佛還有受報麼？還報又是一回事。如果你的業發現了，你的業障來了，那些菩薩也沒有辦法，他不能替你轉業，轉業得你自己轉，菩薩能不能加持呢？前面我用船跟石頭做比喻，船雖然可以負載你，但是這個時候你必須正用他的功，正行他的法，這個時候才能得到利益。因此你在臨命終時，你的罪業當然是沒有銷乾淨，爲什麼又能生到極樂世界，這是講他利。最近台灣在討論帶業往生、不帶業往生的問題，有業必須在這個世界清淨了才能生極樂世界，有一些大德是持這個論點。有人也問過我，我認爲要是等到業清淨了，不必去極樂世界了，我業都清淨了，我在這個世界就成就了，我還去極樂世界幹什麼？所以去極樂世界就是因爲我們的業自己沒有法力消失，總是要在六道來回輪迴轉，所以生到極樂世界就不轉了。

「我等鬼王敬禮是人，如過去、現在、未來諸佛，勅諸小鬼，各有大力及土地分，便令衛護，不令惡事横事、惡病横病乃至不如意事，近於此舍等處，何況入門！」

對於這些做好事的人，鬼王們都把他們當成諸佛來看待。這些小鬼都有力量的，包括土地分，土地分就是土地公，一村一個部落都有這麼一個土地公，令他來護衛，護持這些人不會遭遇惡事、橫事、惡病、橫病，不如意事根本不可以進入。也就是做好事供一香一華恭敬三寶的人都會有鬼神及當地土地神保護。大家不要感覺這樣的供養很容易，我是出家人，走了很多寺廟，我就沒有這樣做，走這間廟供個燈再走，很少了。但是到了這間廟磕個頭是必然的，見像就拜，到人家道場你首先要拜佛，現在就連這樣也疏忽了。大家想一想，看見一間廟見了佛像就拜的，能夠隨時這樣做，不拘多少，一香一華，心裏恭恭敬敬，高高興興的，這樣的人有多少？這裏是講修善的人，我是講受三皈五戒的，如果受了三皈五戒的人，不但有善人鬼神來保護你這個屋舍住宅，而且每一戒有五大神王來護持受戒的人。

「佛讚鬼王：善哉，善哉！汝等及與閻羅能如是擁護善男女等，吾亦告梵王帝釋，令衛護汝。」

佛爲了使《地藏經》永久住世，學習這部經的人永遠脫離一切苦難。所以只要有護持這部經的，佛就讚嘆他。佛之所以讚嘆他，是因爲鬼神多是禍害人民的，很兇惡的，當你做善事，他是讚嘆隨喜你，你略微一做惡，鬼神瞋恨心最重，他要懲罰你。所以鬼神對於世人所給的福利少，禍害人的多。所以他們一發心，佛就讚嘆他說：「善哉善哉，現在你們發了善心，假使你們擁護善男信女，我就告訴梵天及帝釋天來衛護你們。」鬼神之間也有互相的鬥爭，梵王帝釋衛護他們，使他們不受報了；他們也是在罪業當中，像住墳地的，住廟所的，哪裡髒他就住那裡，這是他業報所感，他看到那個地方很好，實際上很不好，這是業緣所感的關係。

佛讚嘆了惡毒鬼王之後，另外一個當機衆主命鬼王又向佛表達他的意願，這也是發心的事。我們前面講了這些鬼王的名字，有的是因他的事而得名，有的是因爲他的管轄職稱而得名，有的是因爲地點而得名。主命鬼王因爲他的職務是管命的，這個人的壽命長短，由他主管，該長的長，該短的短，本來壽命很長的，做狠絕的事，壽命就會減短了，本來壽命很短，因爲他做好事，延壽一季，一季就是十二年，減壽一季就是減去十二年，這類事情很多。

我小時候看小說，羅成他爲什麼活二十三歲呢？因爲他盡做缺德事，左十年又右十年的減，就剩二十三年了，爲什麼姜太公壽命那麼長呢？因爲他做好事。姜太公一生也很苦的，爲什麼苦呢？到八十歲才遇到文王。本來他早就該發達的，因爲他上下學時，得經過一間小土地廟，每回他經過時看土地廟時，廟裏的像就站起來，他回家問他媽媽：「那個土地公是活的還是死的？」他媽媽說：「是泥巴，死的。」他又問：「爲什麼我天天到那邊，土地公都站起來？」他媽媽也覺得很奇怪，就要姜太公問問土地公。這一回他又去，土地公又站起來，他就向他問：「土地公公，爲什麼我來，您都站起來？」土地公說：「你的命太大了，你將來統治億萬人，所以我必須恭敬你。」他回家就跟他媽媽說，當時他媽媽正拿著笊籬撈飯，聽了以後就拿那個笊籬往鍋上一擱，說：「我兒子將來要是發跡了，我有仇報仇，有冤報冤。」發了這麼一個惡願。他媽媽這一發願，完了，姜太公再走到那土地廟，土地公就不站起來了。他再問土地公公也不會說話了，泥的。他回家之後，想一想不對，所以他就跑到土地公那裡求說：「土地公公您還是要救我，您怎麼突然間變了呢？」土地公說話了：「因爲你的媽媽發了惡願，你的路全沒有了，你得勢了，人間要死多少萬萬人！你不能得勢。」姜太公說：「你得救我，有沒有什麼辦法？」土地公就跟他說：「等到天上打大雷下雨，你感覺周身疼痛得不得了的時候，你把牙關咬緊，把嘴閉緊。」果不其然隔幾天，天上打大雷下大雨，他感覺得混身痛的不得了，好像專對著他似的。隔幾天好了，他又走到土地公廟，土地公告訴他：「你一生窮命苦，一口宰相牙，將來你還是要做宰相的。」這就是姜太公封神的故事。

這是一個故事，我們也不能全信，但是我們從這個故事得到一種啓發，我們一定要發善願，千萬別發惡願，這是第一個。第二個可變化的，你命好，一旦做惡事馬上就變了。因爲這一折騰，姜太公直到八十歲才碰到文王。所以我們的命數是不錯，三加二是五，但是他會變化的，會減少的，五減少一就變四，就不是二加三了。在你行善的時候，事情就起了變化，做惡的時候事情也起了變化，不但現生變化，未來無量生變化就太大，這必須由鬼王主持的。命爲什麼有長有短呢？有的突然死於非命呢？因爲在我們這個世間上，一切的生物都是有命的，多殺生、多做惡業，則是短命貧窮，要是多放生，你會壽長富貴。我們要知道這種因果關係，也不必羨慕別人，要羨慕別人不如多做好事。

「說是語時，會中有一鬼王名曰主命，白佛言：世尊！我本業緣主閻浮人命，生時死時，我皆主之，在我本願甚欲利益，自是眾生不會我意，致令生死俱不得安。」

主命鬼王向佛表白說，我的職務就是掌管人的生死，他有什麼業有什麼因緣，善業善緣出三界，看你善到什麼程度；惡業惡緣下三塗，這也看你惡到什麼程度。就像我們人間犯的什麼罪，法律給你訂什麼罪，跟業緣都是相似的。這位鬼王就說了，因爲我過去的業緣感到這麼一個果報，甚欲使一切人都得利益，壽命長得富貴，我雖然好願心，眾生不領會我，所以生者死者都不安。

這段經文是一個總題目，下面他就說出生死不安的情況。我們看到這些鬼王都很苦的，當了王，可是並不自在，這種鬼王是受閻羅驅使的，閻羅也受業驅使的，他也是冥府的官吏，這種官吏都是業感的，都是業緣的，他雖然有威德，掌管南閻浮提的生死，但是他還被諸天驅使，他自己也不能想怎麼樣就怎麼樣。

主命鬼王說：「我雖然主理南閻浮提人的生死的事情，但我不是萬能的，我也是隨著業緣變化，自己也是受業緣而生的，是我造的業，這個緣成熟了，讓我來管這件事的。」主命鬼王的意思要想使一切人都得到好處，但是眾生不領會，不合作。例如小孩生產的時候，不要去殺豬宰羊請客，這樣子生者不得安，子母俱損。

「何以故？是閻浮提人初生之時，不問男女，或欲生時，但作善事，增益舍宅，自令土地無量歡喜，擁護子母，得大安樂，利益眷屬；或已生下，慎勿殺害，取諸鮮味供給產母，及廣聚眷屬飲酒、食肉、歌樂、絃管，能令子母不得安樂。」

什麼原因呢？「何以故」就問了，閻浮提的世界，母親十月懷胎小孩降生的時候，要做好事。或者放生不殺生，有些人請滿月酒，家裏添丁是好事，有的供養三寶，打齋供衆，很少這樣做的。有的請客大家來恭喜，殺豬宰羊的，這樣就生死不得安了，不領會我的意思。不論生男的也好，生女的也好，要做好事，就是出生時一定不要殺害。生者高興，但殺害很多衆生，完了你還希望他長壽，讓他健康成長，怎麼可能？不可能的。本來應當是讓這個舍宅增長好處，如做善事恭敬三寶乃至放生都可以，自然生起無量歡喜，鬼神也就生起無量的歡喜了，能夠保護你的母子平安，得大安樂，利益眷屬。

《長阿含經》說，一切男女出生的時候，鬼神就隨著他守護他，欲死的時候鬼神先把他的精氣給驅走，這個人就死了，病也沒什麼多大病苦。如果是修行十善法的人，修十善業的人，善神來守護他，所以衆生的生死都有神守護。土地公就是土地神，這個土地神是擁護舍宅的，擁護這家人的生死。

家家都有土地，家家的土地就是我們所說的灶王爺。假使你做善事增益這間舍宅，他就無量歡喜，他有功德，他也得一分福，所以生出無量歡喜，他也照顧子母，如果你懷孕不殺生，還要做好事，念經、持咒、念佛當然都好，子母都能得到很大的安樂，很大的快慰，這是將生沒生的時候。

或已生下，千萬不要殺害，「愼勿殺害取諸鮮味供給產母」。華人的習慣是一生產之後都要補一補，起碼要燉隻雞，我所看見的所聽到的風俗習慣就是燉雞，或用種種的調養品來補。其實我感覺替代品也可以，但是一般人不信，總是殺生快一點。或看見有病的，信佛好多年的，因爲害病的關係他也要殺生來補，這就是不信。你要眞正的信心堅固才能不殺生。殺生，不但供給產母，還廣聚眷屬，六親都來了，賀喜的，道賀的，這時候又喝酒又吃肉，高興的歌樂絃管，就唱了，這個能令母子不得安樂，本來是好事，這麼一來就要變成壞事了。

佛涅槃之後，一切弟子不論大小乘都不吃肉，但是藏傳佛教不信，西藏的佛教密宗又是供肉、供酒，是什麼原因呢？他是供養護法，不是供養佛菩薩。你到西藏的殿裏看，殿裏供養佛菩薩是清淨的，也供養阿羅漢聖僧的，殿裏有酒有肉是供養護法神，神是吃血腥的，要懂得這種道理。因爲飲酒斷智慧種，飲酒糊塗、愚癡，吃肉呢？吃肉斷慈悲種，吃肉愈多慈悲心愈淡薄，喝酒喝得糊裡糊塗的，將來的種子都斷了，還能生起現形嗎？所以這個要特別注意。

人將死的時候，你應當怎麼做？怎樣修行呢？把死人的衣物或者財寶變成錢，做佛事或者做七七。如果沒有那個力量，你自己給這位亡人念《地藏經》，念七七四十九天也好，前面都講過了，死的時候應當做什麼事情讓死的人不受痛苦、不墮三惡道；死了必定生，生了之後必定死，這是一切事物的發展規律。不只是人，任何事物成的那天就註定會壞的，一天一天的壞，壞到這個事物沒有了，壞到究竟了，譬如有生必有死，有成必有壞，但生的時候我們應當注意什麼事情呢？在這個時候有很多的惡鬼及魍魎精魅，這個鬼是吃氣息、吃精血的，聞到血腥的氣味，聞到吃了就飽了。在臨要生產時，不要用歡宴做酒席乃至歌樂笙管，而且我們也知道，將生下的小孩是受不了這種刺激，母親也是這樣子，她那個時候神智不大好，那些祝賀的人給他們的歡樂，對於生母沒有什麼好處，因此前面說不要做這種事，何以故？什麼原因呢？

「何以故？是產難時，有無數惡鬼及魍魎精魅欲食腥血，是我早令舍宅、土地靈祇荷護子母，使令安樂而得利益，如是之人見安樂故，便合設福答諸土地，翻爲殺害聚集眷屬，以是之故，犯殃自受，子母俱損。」

離魅魍魎是四種鬼，這四種鬼不是很有威力的鬼，這種小鬼就是在不淨的地點，生小孩的時候不淨，有些血腥，牠們是想吃血腥的，我們要設什麼方法使他們不至於危害，由護法善神護持不讓這些惡鬼沾邊；這是主命鬼王說的話。因爲在生的時候特別高興了，不要做不如法的事情，如果殺豬宰羊慶賀，這樣那些惡鬼就進來了，惡鬼進來了就會產生一些壞的影響，使子母產難。生產是一難，因爲生的時候小孩、大人各方面的原因，死亡的很多，不殺生就是避免難產的一種方法。主命鬼王說他發的願，在產期當中他早就命令土地、靈祈在此守護生產的，假如說你跟他的意願不相合，還造業，你就不能得到安樂了，不能得到利益了。

「舍宅」就是生產周圍的房子、住宅區域，土地或者靈神護持著，讓他們安全，保護他快樂的，這是指善人說的。因此在生產的時候很吉祥的，沒有出什麼問題，「如是之人見安樂故」，看見生產很順利，大人小孩都平安的，這個時候應當設福不應當造業，設福就是培福，或念經或是請道友們念吉祥的咒，這都是很好的。應當設福或者供僧供養三寶或放生，生的時候應當放生，這是答謝土地的保護，如果不能這樣做，反而殺害、召集一些眷屬來慶賀，藉這個機會吃喝玩樂，自己生的時候願長命百歲，可是殺一切衆生，這是不合理的。

這一段經文都是說生的事情，前面是說死的事情，我們都知道怎麼做，生的時候我們也做得很如法，做得很好，這樣才使母子都得安樂。假使跟主命鬼王的願力相反，如果造殺業他就不保護你了，這樣主命鬼神就生煩惱了，因爲大人小孩受到災害，你自己犯的，就得自己受，子母俱損，不但不修福，還會造業。因為造業的緣故，產婦跟所產的嬰兒都不一定能得到安全，得不到快樂，除非有大福德的人，那是不同的，這種人很少。

有些人生的時候帶著胎衣，像虛雲老和尚，他生下來是一個肉蛋。我們知道歷史上宋朝的八千歲叫碗劃，生下來也是個肉蛋，蛋丟到江裏了，後來被人家撿到，拿個碗盛著，把肉蛋劃開了，劃開之後是個小孩，因此叫碗劃，也就是後來的宋眞宗。這都是有福德的人，他免受初生時的痛苦。但一般的人據我們所知，大多數人生下來，吃素供三寶，是不是都可以不受到危害了呢？也不盡然，每個人的生長有他自己的福德，但要想求安全的話，我們佛教徒就應當照著佛所說的去做，這樣更加保證一點，更安全更快樂。況且我們一生下來就帶債，如果我們的先人、家庭爲了慶祝而殺些生命，那都算到你的身上，爲了慶祝你的降生殺害了許多生命，這筆帳當然是寫到你的頭上，如此，你還不懂事就犯了殺業了。

我們不知道的就不用說了，知道了以後不能這樣做，勸我們的六親眷屬都不能這樣做。問題是我們都做不到的事情，又怎能勸人家呢？因此我們只知道災害劫難而不曉得劫難的產生，劫難的根源有一定的業，造了一定的業，災難的因種下了，自然就得到災難的果了。誰能統計一下每天的地球上要殺害多少生命？我們只看到豬、羊、牛牲畜，特別小的魚蝦，我們又能算出牠有好多生命？《地藏經》不是說，尤其是海鮮，多食其子，我見到這樣的人專挑魚子吃，一盤的魚子有好多生命，當然是一個是一個，那麼一個魚子跟一頭豬一頭牛一樣的都是一個生命，不論大小，生命都是一樣的。

「又閻浮提臨命終人不問善惡，我欲令是命終之人不落惡道，何況自修善根，增我力故！」

前面是勸說生時修善，這裡是勸死的時候修善，命終的過程人人都要經過的，誰也免不了。我們經常說出了家有什麼好處？在這個生死關頭上，出家人就好得多，第一個，和尚死了不用請和尚來給他做佛事，第二和尚死了也絕不會殺豬宰羊辦喪事。那間寺廟只要有僧人圓寂了，這間寺廟全體人員要給他做佛事，早晚課的普佛迴向。當他要臨終之前，要派幾位師父晝夜的輪流給他念佛，他得的好處就多了。要是死到外頭那就不一定了，或者死到醫院那就靠不住了，現在好多的和尚到臨命終的時候，有病也是送醫院，特別是在大陸，他不准你死在廟裏，誰有病就送到醫院，死在醫院裏，醫院還能給你做佛事嗎？爲什麼有這種情況呢？連這個善緣都沒有了，這就是業。

要想讓命終人不墮三塗，就看他的因緣了，本來是主命鬼王，他發願所有閻浮提人臨命終的時候，不論原先做善做惡，都想使他命終的時候不墮三惡道！要是做善的人，跟主命鬼王的願力相合了，他的善根就增長了，當然不墮惡道。要是生前沒有做什麼好事，在臨命終時，主命鬼王就來護持他，轉他的善因，成熟這個增上力故。這個「我」字是指主命鬼王說的，如果他做好事，使我護持的力量更大一點，他的善根更深厚一點，絕對不墮三塗。如果他做惡呢？或者力量達不到了，在臨命終時他又昏聵了，又沒有六親眷屬來給他做佛事，因此他未來墮三塗的機會就多，這是保證不到的。生的關過了，死的關過了，我們生生世世，死死生生。這一回我們發願不再輪迴了，我們也知道生和死都是幻化的，都像做夢一樣的，但是必須達到這種力量，如果幻化不了呢？要是證了阿羅漢果，行菩薩道來到人間，那是幻化的，受生跟死，都當成遊戲了，菩薩利益衆生，他對於生死看成是遊戲，他無苦無樂，無是無非，無人無我。

「是閻浮提行善之人，臨命終時，亦有百千惡道鬼神，或變作父母乃至諸眷屬，引接亡人令落惡道，何況本造惡者！世尊！如是閻浮提男子、女人臨命終時，神識惛昧，不辨善惡，乃至眼耳更無見聞；是諸眷屬當須設大供養，轉讀尊經，念佛菩薩名號，如是善緣能令亡者離諸惡道，諸魔鬼神悉皆退散。」

這一段就是說鬼神能使你變惡，因爲在你做不了主的時候，鬼神使你變惡，不必等到死後。我們現在看到太多了，在生前鬼神就使你變惡，你心有所動，鬼神就乘虛而入，即使你信佛了，但是你信得不堅定，那個惡鬼神可以扭轉讓你不信佛，乃至於使你謗佛。平常我們還能做得主，到臨命終時那得要大力量，你平常沒有修行，沒有力量，到那個時候你怎能有那個力量呢？

就是做善事的人，根本沒有做什麼惡，到臨命終時，這善可不是大善，如果他戒定慧修到有成果的時候，鬼神當然扭轉不了的。雖然做善事，而只是一般泛泛的善事，這是容易被牽動的。眞正有了力量的時候，就不會被牽動，到他臨命終的時候，那些鬼神變化做他的父母，或者他的眷屬把他引上惡道。

現在的人要想知道這個知道那個，就求鬼神，鬼神正好就乘虛而入了，他正想找你，你去找他不更好。很多人不信佛菩薩，反而信鬼神，從《地藏經》乃至一切經典上講，好的鬼神，能夠培福德的鬼神，是給三寶弟子做護法的，惡的鬼神跟佛法是對立的。魔王怕他的子孫少了，都去信佛了，做善的，惡鬼神不就沒有了？所以他使用種種的方法危害擾亂你，讓你信不成。特別在末法時代相當的多，我們大家周圍左右的都會有的。行善的人到臨終時候百千鬼神都來擾亂你，化做你的親人，引你墮落。例如說，我們到臨命終時，神識昏昧的時候，你平常的貪愛心在這個時候就顯現了，你貪什麼，就隨著你的貪心而現什麼境界。如果你隨著境界一轉你就墮落了。並不是你看見要變貓變狗，那你會抗拒的；但到你迷迷糊糊的時候，鬼神化現出你平常愛玩的地方，你一進去了，結果你就入到狗的肚子了，生下來就是狗。

在民國初年，黑龍江省的鄉下，有一位十二、三歲的小姑娘，她大概是嚴重的感冒，發了高燒。在農村缺醫少藥物的，她母親就給她喝點薑湯，喝點紅糖水，拿被子蓋起來，讓她發汗，結果斷了氣了。在她昏迷當中，她就看到有一輛大車，東北那時都是大車，幾匹馬，幾匹騾子拉的那種大板車。她看了車上坐了四、五個人，也有小男孩也有小女孩，那些人就要她上來玩，她也糊裡糊塗的，忘了她是害病；在神識昏迷的時候，就這樣跳上車一塊去玩了，這輛車就進了村，西頭一個院子裏，她突然間這麼一驚醒，就聽人家喊小狗下了五、六個，她一聽我變狗！別的小狗都搶奶嘴去吃奶，她不吃，她慪氣，這一慪她又死了。在她死的時候又聽到這家小孩子喊這隻小狗死了，她這邊死了，她媽媽看看她發汗沒有，被頭一揭開她那邊又活了。她跟她媽媽說：「我變成狗了！」她媽媽說：「妳燒得糊塗了，怎麼變了狗了？」她說：「您到村西頭的誰家誰家，您看看他下了五、六個小狗仔，其中有一隻狗的皮跟我這件衣服黑底白花一樣的就是我，您去看看！」她媽媽果眞就去看了。

那時我聽到了也不把這件事當一回事，後來學佛了，我就想起這件事了。還有從夢中，我體會到有時候很多的夢做不了主，本來是假境界，我們想一想，假如今天喜愛一件什麼事情夢境現了，我們的貪心馬上就增長，馬上就隨著那個欲望去做了，醒來知道是夢，也許會得到也許沒有得到，受了危險，喪失生命了，在那一驚之下醒了，或一高興之下醒了，醒了什麼也沒有。生跟死的情況就是這樣子，就是你做了很多的好事，但不是大善，你做好事，像你修善行得了道，那種善又跟這個不一樣，普通的心地善良，也隨時利益人，也幫助人做的這類好事。到臨終時那些鬼神變成你的六親眷屬，變成你的父母來接引，你就隨著他墮落，「令墮惡道」。

佛菩薩跟鬼神化現的迥然不同，跟你的心意相合，到那個時候你的眞智現前，你能夠辨別清楚，但是你平日沒有功力，信心又不足，半信半疑的，到那時候完全沒有了，所變現的都是惡鬼神變現的，那個時候你的善惡不分，這叫業障現前。前面先說這具體的現實，下面主命鬼王就告訴我們了，以地藏王菩薩的加持力，到了臨命終的時候，你的六親眷屬都懂得這個道理。「當須設大供養」，這個大供養隨力量，隨你的財力、經濟力，還要隨你的時間力，現在我們都打工，讓你念七七四十九天，我們活的的人還要吃飯，什麼事都不做，這是不行的，盡力而爲的意思。

轉讀尊經，念佛菩薩薩的名號，我想這個可能做得到，既使沒有時間，一部《地藏經》一個多鐘頭，你晚上少睡一個鐘頭，我想還是做得到，你少玩一個鐘頭就做得到了。我們總感到時間不夠用，如果你把二十四小時算一下，你散心雜話佔了好多時間，跟人一說話，半個鐘頭過去了，其實你可以念半部《地藏經》。但是說話的時候愈說愈高興，念經時愈念愈煩惱，念念就瞌睡了，什麼原因呢？業！爲什麼有些人他一念經愈念愈高興，有些人你不讓他念經他精神蠻好的，幾個人聊天，愛打麻將的人，明天早上上班再打四圈都還可以，一直打到高興爲止，是不是這樣？大家想一想。做散心說雜話做空思的時候，時間多得很，你要他修聖業，他怎麼都沒時間！古人說：「持誦禮拜聖業也，惟恐不墮，散心雜話懈怠，放逸惡業也，惟恐不勤。」

整個的顛倒了。

有一部〈菩提道次第心論〉，他說供佛菩薩有十種利益；一者是身，二者是口，三者是意，就是身口意供養，身供養就是禮拜，讀誦經是身供養，讀經也是口業，讚嘆佛的功德、讚嘆菩薩的功德，讀誦大乘經典，意供養就是緣念，如果我們晚年眼睛不好，字都看不見了，那怎麼辦呢？就是作意，用自己的意念來供養也可以。另一種是對寺廟供養，對寺院供養、對塔供養都可以。或者現在我們有很多佛堂，這些廟都叫佛堂，只能算佛堂，各個寺去供養多少不計，要心量大財物不一定得多。第五種是自供養，自己供養，自己在家裡都有佛像，你要吃飯前，把飯供上一點，要吃的菜供上一點，完了燒香，其他的你都不會念，念供養三寶會！念供養觀世音菩薩，這是大家都會的供養。要是這些也不會，那你就念念供養咒也可以，念三遍或七遍，這是普供養眞言，這也可以代表供養。供養的方法很多，隨你自己想，一花一香都算，大供養不是說物質多，而是你心誠。

「世尊！一切眾生臨命終時，若得聞一佛名、一菩薩名，或大乘經典一句一偈，我觀如是輩人除五無間殺害之罪，小小惡業合墮惡趣者，尋即解脫。」

生前做惡做善都不管，到臨命終的時候能夠聽到一聲佛號或者聽到一部大乘經裏頭的一偈一句，「如是輩人」，就是那位聞到菩薩名號的人，聞到大乘經典一偈一句的人，就把他犯的五無間罪都消失了，乃至於殺害之罪，最嚴重的罪都可以消滅了，消除了。

小小惡業，當然更可以得到解脫了，但是這句話得反過來說，這必須得親聞，在神識還沒有昏瞶的時候，耳根聞到了阿彌陀佛或者觀世音菩薩或者地藏王菩薩，他都能夠消很多的重罪。如果他已經昏瞶了，只能得到冥福，必須得親聞，親聞才能轉業。往往到這個時候善根不深厚的聞不到的！雖然經上是這樣說，如果生前沒有善緣，如果他周圍的六親眷屬不懂得佛法，能給他做這些事嗎？還有他平時根本沒有信念，沒有信仰，他的八識種子裡沒有三寶的信念，在這個時候你給他念或遇到外緣，他能信嗎？他會拒絕。

「佛告主命鬼王：汝大慈故，能發如是大願，於生死中護諸眾生，若未來世中有男子、女人至生死時，汝莫退是願，總令解脫，永得安樂。」

主命鬼王對佛表示他的誓願，表示完了之後，佛就讚揚他。佛告訴主命鬼王說，你這種大慈悲心，能發出這種大願，在生死六道輪迴當中維護眾生，保護眾生，使他不落惡道不被惡鬼神干擾，臨終能夠聞到佛菩薩的名號。主命鬼王希望南閻浮提每一個眾生，命終時乃至於生時都能夠有三寶的加被力，使亡者能生善道，生者能夠健康成長，消除罪障。佛讚歎他發的大願力，完了，又囑咐說假使未來世中，就是我們現在，有男人、女人面臨到生死的時候，你不要退心，不要退願，佛爲什麼這麼囑託他呢？因爲一個發心的人若勸一個人碰一個釘子，後來就容易洩氣了，說不要多事了。連二乘的聖人雖然已經斷了見思的煩惱，行菩薩道的時候也會退心，大心難發！發心之後想鞏固這個菩薩心，很難。所以佛就囑咐他說，你這個願是很好的，南閻浮提眾生，生的時候、死的時候，你都不要退願！一定要讓他們都得到解脫，讓他們都可以消災免難，永得安樂。究竟安樂必須要成佛才是究竟的安樂，或者說永遠再不墮三塗。佛囑咐主命鬼王，一定要堅持自己的誓願，維護一切衆生，囑託他不要退心。

「鬼王白佛言：」

主命鬼王就對佛說。

「願不有慮」

我希望佛不要憂慮。

「我畢是形，念念擁護閻浮衆生，生時死時俱得安樂，但願諸衆生於生死時，信受我語，無不解脫獲大利益。」

就是我負擔主命這個責任的時候，我念念之間都擁護衆生，使他不墮落，同時使閻浮提一切衆生，不管他生的時候、死的時候，都能愉快安樂的。但是我也發願要求一切衆生，在生的時候、死的時候，他們一定得相信我的話。這個是向佛要求的，就是希望佛加持，讓一切衆生在他生的時候、死的時候，信受我的話，就是不把我的話當做是耳邊風，還要信受，這樣去做無不解脫，能了生死的，不墮三塗也算是得大利益了。

「爾時，佛告地藏菩薩：是大鬼王主命者，已曾經百千生作大鬼王，於生死中擁護眾生，是大士慈悲願故，現大鬼身，實非鬼也。」

佛對地藏王菩薩說，主命鬼王是他的願力，示現做主命這個鬼王已經百千生了。在這個閻浮提的生死六道當中，他經常擁護衆生，是大菩薩發了慈悲的願心，示現做大鬼身的，「實非鬼也」，實實在在，他不是鬼。

「卻後過一百七十劫當得成佛，號曰無相如來，劫名安樂，世界名淨住，其佛壽命不可計劫。」

佛就給這位主命鬼王授記了，授他成佛的記，說從現在起，經過一百七十劫的時間，這位主命鬼王就成佛了，佛號就叫無相如來。無相就是實相的意思，佛都是實相，就是他經常在六道度一切衆生而不著衆生相，他自己示現鬼王，他既然是示現的，也不著鬼王相，就是無我相、無人相、無衆生相、無壽者相。實相就是無相，因爲無相者才能夠示現一切相，示鬼王相、示鬼相、示人相，示什麼相都可以，他成佛的時候，那個劫叫安樂劫，「劫名安樂」。那個世界叫什麼世界呢？我們這個世界叫娑婆世界，他那個世界叫淨住世界，佛的壽命呢？無量壽，不可計數了，不可計劫就是無量壽命。

「地藏！是大鬼王其事如是不可思議，所度人天亦不可限量。」

主命鬼王他歷生的事業是不可思議的，「其事如是」就是他護持人間，他雖然是鬼王，而且他是管鬼的，管什麼鬼呢？就管這些生、死、害人的鬼。生的時候，這些鬼會擾亂你母子不得安，死的時候他也擾亂你的魂識，主命鬼王就來對治他，使你這個人能走上善道，不受這些干擾。這些事情都是不可思議的。度了好多人？「所度人天亦不可限量」。為什麼說他是大菩薩大士呢？他本來是鬼，鬼界的，但他能度到天界上，天人等到五衰相現也是死亡，他的心識也是不定，鬼王護持他，使他心不亂，還能保持他的善根。

這八品我們已經講完了，在這八品裡頭就包括生與死，我們經常問，不知道怎樣修行？經典教給我們的法子都是修行，經跟論不一樣，論不講修行而是講開智慧，要辯論一個理，經過反覆的辯論，論證，讓我們認識清楚，這是開智慧的。但是每一部經都告訴你修行的方法，《地藏經》每一品都告訴你修行的方法，生怎麼樣做，死怎麼樣做，平常時我們怎麼樣做，我們要經過山林或者渡河心裡有恐懼感，坐飛機怕飛機失事，開汽車又怕汽車碰撞，怎麼辦呢？他告訴你，你念他的聖號，念一萬聲聖號，一切災難都化除了，這就是修行。你念聖號，一切災難都化除了，這就是修行。

生的時候，他告訴你不要慶祝，要慶祝就吃素席，供養三寶，家裡拜懺，請些人來了，客人都念一卷《地藏經》或念一卷《普門品》或念一千聲聖號，不是一樣的嗎？這不是更好的慶祝嗎？死的時候，我們給臨終人助念，也給他供養三寶，也念《地藏經》，這都是修行的方法。至於《地藏經》上所說的那些地獄名字，假使你認識因果的話，因果不昧，多做善業，你去不到那個地方的，那個地方也沒有，若做惡業，你的惡業就化現出來地獄，你做善業就化現出來天堂，我們一定要認識清楚，這是一種。

還有，我們聽完經了，大家走了，這個經本就算了，回去往桌上一擱，下回再拿起再去聽，你自己多看兩遍，體會經中的道理，佛每說一句話必有一個道理，一種意義，這種莊嚴殊勝的法會不是說的，也不是我們擺擺龍門陣說閒話的，像我們怎樣才能利益人，像我們做這件事情得怎樣才能得效果，你要用好多腦筋，所以我們應當跟客觀的現實結合。我們經常有恐怖感，為什麼恐怖？你怕什麼呢？怕危險，危險又怎麼樣，危險撞傷了，危險失掉生命，有個我見我知，恐怖感就發生了，這個就是《心經》上所說的「無罣礙故，無有恐怖」。你到處是罣礙，這個事情還沒有做，你恐怖得不得了，投資怕賠錢，要投資時發願念一百部《地藏經》，發願念一萬聲地藏王菩薩聖號，你的恐怖感就沒有了，可是你不去做。

《金剛經》更深入了，觀空，一切諸法皆空，《金剛經》怎麼修行呢？怎樣住心？怎樣降伏你的心？就是你現前的心，怎樣使你的心住不變，不動，不受境界的干擾。住心，住不是心死了，但是怎樣生心？生了心怎樣住心？不住色聲香味觸法生心，換句話說就是不因境生心，遇到境了，心不被境轉，就是住到了那部經，沒有修行啊！

我們有很多人念佛好多年了，經常有人問師父，我們怎樣修行，我說你聽了那麼多的經，已經告訴你怎麼樣修行了。《阿彌陀經》告訴你念佛不是就是修行，念佛就是修行！另外還要怎麼樣的修行？神通不是修行，神通是效果，那個效果不好，如果你沒有根底，不會住心、不會降服心的，讓你得神通，你反而會用那個神通去造罪。

地藏王菩薩也顧慮到你沒有時間，就說每天念一千聲地藏王菩薩聖號，一千聲才好多時間？念快了十七、八分鐘，念慢二十分鐘多一點點，快的我也試驗過，三個鐘頭念一萬聲沒有問題的，假使眞有信心的，眞正想發財的，眞正消災免難的，眞正信得極的，你一天念一萬聲地藏王菩薩聖號，比你找誰去聯絡好得多。求人不如求己，就是自己求佛菩薩，求菩薩，求佛，還是求自己，佛菩薩就是你自己的心，藉境明心，不是藉境迷心，我們遇到什麼境界就轉變了，就迷了，定不住的。

我看我們一些弟子們整天徬徨的，不是名就是利。名，大家還不注重，有飯吃就行了，有房子住、有工錢就行了，大家到美國就買棟房子，房錢的壓力很大，收入的錢除了供房子就差不多了，吃飯都快成問題了，當然很痛苦。你能不能抽出一點時間，請佛菩薩加持你，減少這種痛苦，方法很簡單，是你不用，和尚吃飯，沒打工，沒做工！我沒做工，弟子給紅包，這紅包不好消災的。人家辛辛苦苦的乃至於用好多心血賺錢給了我，我怎麼給人消災？消不了，消不了就是生生世世去還。我們不要騙人家，也不要騙自己，騙人家還是騙自己，我就是修行還給人家，念一部《地藏經》的功德迴向，就像經上說的，我們念一遍《金剛經》的功德用娑婆世界的滿盅的七寶供養都比不上，我誦一遍《金剛經》的功德，我就受得了，我就能還給人家的，但是得誠心的念，如果一邊念經一邊妄想，如果念經是爲了人家給我錢而念，那就糟糕了，他也得不到利益，我自己也糟糕了，必須得誠心誠意的自他兩利。

學什麼就思索一下，我們這個定是什麼呢？思惟修，你心裏多想一想，經過你的腦子，權衡他的利害關係，你自己心裏就明亮了，明亮了你做什麼事情不糊塗，這是大事，不是小事。過去中國有句俗話，李端大事不糊塗，李端是做過宰相的，小事他像個傻子似的，等到一遇到大事，他不糊塗的。大事情，在《法華經》上說，佛出世謂以一大事因緣，這是眞正的大事情，什麼大事情？了生死成佛，我們把這件大事情當成沒有事，這才是眞正大事情。

現實客觀環境很不安定的時候，是我們大家共業所感的沒有辦法。我們最近講《地藏經》，在這兩個鐘頭當中，飛機干擾得特別厲害，我一邊講一邊心裏想，這是我們的業障發現了，伊拉克佔了科威特也給我們帶來干擾。我們看任何事物都是業的發現，沒有這個業因，這個緣，外邊客觀環境不會是這樣，爲什麼好地方我們不去，生到這個時候，早不來晚不來，我們要是早二千五百年前來，生到釋迦牟尼佛那個地方去多好，還有現在阿彌陀佛在極樂世界講經的，恐怕我們要在極樂世界聽阿彌陀佛講經，我們大家都了生死了。離這裡十億佛土，太遠了，還有兜率天很近，跟我們一個世界一個小世界，第四重天兜率天，彌勒菩薩在那裡講經，我們怎麼去不了？而是在這個世界？

現在這個環境裡頭還有好多菩薩，為什麼我們遇不到？這是我們的業，怎麼樣銷？《地藏經》告訴我們很多銷業的方法，其他的我們做不了，我們就念，一天念一部《地藏經》，才一個鐘頭，我們一天分三次念，分四次念，一次念一刻鐘，我們少說一些閒話，時間是有的，那能說沒有。一天說閒話的時間，一刻鐘、二十分鐘都過去了，但等到念經的時候，就說沒有時間，這是我們業重福輕。我說這些話可能不怎麼樣，但是聽了確實有利益，這些事跟我們切身很有關係。

我們聽經的目的是什麼？就是離苦得樂，我們聽了一座，兩座，十座，百座聽完了，經歸經，自己歸我們自己，困難還是困難，痛苦還是痛苦，那就白費了是不是？完全白費了，現在沒有離苦得樂就要等到將來，現在種這個因，將來果熟了。因爲我們前面那個果太猛利，現在它壓縮我們，迫使我們的善根一半不能成長，周圍的環境都是這樣。

稱佛名號品　第九

第九品，「稱佛名號品」，我略說一下這一品的題目。前面我們分析了六道，也分析了地獄，除了讚歎地藏王菩薩的功德，多數是存亡利益，每一品的意思都不同，這一品是廣說修行，怎麼修行呢？稱佛名號。稱佛名號跟我們念阿彌陀佛的稱佛名號有點差別，那是專念一佛號求生淨土，這裡不是的。我們常說罪業很大，障緣很多，處處感覺不如意，怎麼辦呢？地藏王菩薩在這一品說的就是念佛的名號，這個名號不是釋迦牟尼佛一尊佛的名號，也不是拘留孫佛一尊佛的名號，他單舉十尊佛，最後是代表很多的佛。這裡僅僅是你念《地藏經》的時候，隨著念這麼一句，並沒有說你專持誦他，或者生到他那個國土，不是這樣意思。因爲我們在這個世界上的人感覺苦難很多，你要是讓他念佛，讓他誦經，障緣很多，就是你想做這件事他卻產生種種的障礙，讓你做不成，這就是障緣。

今天有個弟子問我說：「好不平等！」我說：「怎麼不平等？」他說：「前世的罪，爲什麼讓我今生受呢？」他提出這個疑惑，因爲他對佛教沒有什麼理解，根本不大熟悉，前生今生都是你自己。我跟他講：「昨天你做的錯事情或者你前十年做的事情現在該你受報了，你確認爲這是十年做錯的事情現在受報，這個不平等，十年前做的應當前十年受，不應該挪到現在來。你當時做的，或者沒有發覺，或者果沒有成熟，不見得受，現在成熟了，所以是該你受報了。」

我們知道過去做的錯事不少，有的時候是我們做主的，自己一時猛利的來犯罪，有的是我們做不得主，被迫犯罪。就像我們有職業病，像你去挖掏煤、挖金礦，從事化學的職業都容易受污染，這種職業病就是當生的，害病，肉體受了損失，很早就死亡，但是你不曉得你生生世世的職業病。還有被迫的，自己做不了主的，你要是服兵役，正當你服兵役的時候打仗了，你拿著槍，你不殺人家，人家殺你，像這種職業病牽涉到無量劫，雖然是被迫的，你不是猛利的，但是不能說沒有罪。例如說他們吃我才殺，吃的人就說他不殺我就不會吃了，大家推諉，誰也推諉不了，吃的人有罪，殺的人也有罪，心情猛烈受的罪，這種罪誰都有的。

有一部經《禪秘要法經》，有一位叫禪難提比丘，他問佛說：「無量劫以來的罪很多，世尊能不能方便告訴我一個滅罪的方法呢？」佛就告訴他一個方法，持佛名號，以念佛故能銷諸罪障，不只這一部經，很多經都是這樣說。既然是禪秘要法，念佛的方式就跟我們現在的不同，他教你打坐念佛，打坐要合起掌或要叉手，舌舔上顎，不論道教、佛教，一打坐就要舌尖舔上顎，在道教講這是接甘露水，不過你舌頭往上舔盡量往上舔，鼻子根有兩個窩窩，舌頭只要舔到那個地方，口水馬上就來了。道教講接甘露水，所以漢武帝就鑄了兩座銅臺，要去接甘露了。他理解錯了，甘露水是你本身的，不是外邊的，外邊沒有甘露水，自己用舌尖舔上顎的時候水自然就來，那個水就是甘露水。

佛在《禪秘要法經》告訴禪難提比丘說，打坐念佛時，要舌舔上顎，一心繫念，念的時候還得做觀想，繫就是繫縛的意思，一邊念一邊想叫觀想，這就是三昧的意思，三昧就是繫念，念著地藏王菩薩就繫念地藏王菩薩，念著阿彌陀佛就繫念阿彌陀佛，這樣靜下來之後容易得三昧，這個三昧就叫念佛三昧。

念佛，坐著念、走著念，行住坐臥都在念，若這個念不是依著《禪秘要法經》上所指示的，我們一天泛泛的念有沒有功德呢？有功德，定慧均等的三昧，不容易。像剛才禪難提比丘所問的是定慧均等的三昧，念佛三昧，這是參禪的秘密要法，在藏經裏這種策略不怎麼多，這部經只說這麼一個方法，你照著做就行了。我們現在念佛不是這樣念的，不是專注一境，了了分明，制止你的散亂，或者是念阿彌陀佛求生極樂世界，如果想修禪你觀別的境也是一樣的，還有佛力加持你，所以《禪秘要法經》告訴你，他教你念佛的方法是這樣念的，是專注一境，不分散的念法。

《地藏經》教我們念的是你隨著經念，念這一尊佛的名號，就銷了多少劫重罪，不是專念，而是隨著經文念的時候，就會念到這些佛的名號，因為地藏王菩薩感覺到這個世界的衆生很難度，讓他一下成佛辦不到，怎麼辦呢？稱佛名號一定能成佛，現在成不了佛，因種下去了，你稱哪個佛名號，哪個佛就跟他結上緣了，就是這個意思，他一定攝受你，使你成佛。前面說了很多的利益，很多的好處，但不是究竟的，地藏菩薩的願是度一切衆生都成佛，地獄三塗都讓他們究竟成佛，所以要稱佛名號。

佛在印度話叫佛陀耶，翻成我們這邊的話就是覺悟的覺，明白的明，這個覺悟是大覺悟，究竟覺悟，自己覺悟，讓一切人都覺悟，自己達到成佛，使一切衆生也都能成佛，這叫自覺覺他，覺行圓滿，這就叫佛。我們經常講自覺覺他，覺行圓滿，我們都是釋迦牟尼佛的弟子，受過三皈的，凡是聞過釋迦牟尼佛法的都是釋迦牟尼佛的弟子，釋迦牟尼佛是覺了，但是我們還是沒有覺，所以覺他並沒有圓滿，怎麼理解呢？這個是我們的看法。依《華嚴經》的意思，心、佛、衆生三無差別，在佛的觀點上看，根本也沒有衆生可度，《金剛經》不是這樣講的嗎？若著衆生相來度衆生，永遠也成不了佛，他自己也沒有成佛。

我們要把佛的意義講圓滿，凡事都有個名言，名言是虛假的，他要有個實在的體，例如說這個碗有個體，是塑膠的或者是瓷的，瓷就是他的體，塑膠碗就不同了。這個名是佛，這個佛指著把理性達到究竟，窮理盡性才能夠成佛，現在我們所稱的這些名字都是窮理盡性的，佛跟我們的心相合了，合而為一，我們稱佛的名字，我們念念的稱佛，念念就是佛，一念稱佛一念是佛，你不稱就不是，因為你沒有證得。號就是德的意思，說那個人的名望很響亮，就是他有道德，是這個意思，這一類都是稱誦佛的名號。

「爾時，地藏菩薩摩訶薩白佛言：世尊！我今為未來眾生演利益事，於生死中得大利益，唯願世尊聽我說之。」

這一品分三段，第一段地藏菩薩說利益，向佛請求說我想給眾生說點利益事可不可以說？第二大段，佛就就許可他說，我現在要涅槃了，你快說，使未來眾生得到利益，第三段就稱佛名號了，一共分為三段。

第一段就在〈閻羅王品〉主命鬼王說完了之後，在這個時候地藏王菩薩就對佛說：「我現在想給未來的衆生說對他們有好處的事情，他們在六道輪迴生死當中，找不到一個依靠，好像盡是做罪業的事情，利益事情做得很少，我現在專門給他們說點利益事情，可不可以？」前面那品，我們講過，人臨命終的時候不問他有罪無罪，如果在他臨命終最後那一念能夠念佛的名號或者念菩薩的名號或者念大乘經典，一句一偈，不論他有罪沒罪都給他銷滅。但是這個很難，爲什麼很難呢？當他臨終的時候，神識昏昧了，這時候，死到什麼地方也不一定，跟前如果沒有善友，沒有給他助念的又怎麼辦呢？所以在生死輪迴當中，最後想聽到佛法，聽人給他念個佛名號，這沒有保證的，一者是他自己做不了主，二者他沒有這種善緣。等到最後的時候，他聽不見了。

大家就現實的情境來看是不是這樣呢？像我在中國佛學院的時候遇到很多這種事情。醫院不准出家人進去敲引磬，給臨終人做點好事，他絕對不許，因爲他不信，他也不讓你信，這樣不是很危險嗎？沒有人給你助念，善緣又不具足，自己又不能念，遇到這類情況怎麼辦呢？地藏王菩薩就考慮到這種情形，衆生在生死輪迴當中，不見得像前面所說的，給他臨終時念一句聖號，念一句經典就能使他得到利益，怎麼辦呢？活著念，他說這些佛名號就是當我們身體健康的時候念的，現在我們念《地藏經》，一天念一遍乃至你只念一個佛名號品也好，就能得到不可思議的好處，佛就讚歎他，說這種的事情很好。

第二段就是答應他說的，這是地藏王菩薩特別的大慈大悲，在其他的經上並沒有這種的情形。在家裏往往還有道友們助念，在醫院往生就沒有那麼方便了，一間屋子要是有幾個病床的話，你在旁邊助念恐怕不行！別人不答應你的，那就要自己事先念好，就像我們積累錢，到了困難時候用，不是這樣嗎？你說打工，每天掙錢等到月底了好付房錢，或者好付稅錢，錢多了積累到哪裡？到時候有指望，不然沒有指望，你念《地藏經》念念這些名號，就像到了臨終時候這些菩薩銷除我的罪業了，就是這個意思。

「佛告地藏菩薩：汝今欲興慈悲，救拔一切罪苦六道眾生，演不思議事，今正是時，唯當速說；吾即涅槃，使汝早畢是願，吾亦無憂現在未來一切眾生。」

利益現在的衆生，未來的衆生，但是過去的衆生就不行了，過去的已經過去了，沒有聽到的也來不及了，只能利益現在未來。佛就是勸他說，現在你要興慈悲，滿足你自己的願，你想救拔天人、阿修羅、地獄、鬼、畜牲這一切六道的衆生，佛就嘉勉他，說現在正是時候，但是要說快一點，因爲我要涅槃了，我可以加持你，使你早畢是願。什麼願呢？就是度衆生願，他不是想讓衆生都成佛嗎？你也滿願了，我也沒有顧慮了，這是釋迦牟尼佛自己說的，你能夠演利益事，完了度衆生願，也使我對未來衆生沒有憂慮了，不然我擔心他們還會再下地獄，這是對於現在的衆生，就是當時會上的衆生。未來的衆生呢？就是我們這些衆生，我們是屬於未來的衆生，以下就是正說使衆生得到利益的事。

「地藏菩薩白佛言：世尊！過去無量阿僧祇劫，有佛出世，號無邊身如來，若有男子、女人聞是佛名，暫生恭敬，即得超越四十劫生死重罪，何況塑畫形像，供養讚歎，其人獲福無量無邊。」

從「無邊身如來」以下有十尊佛，這是別說，最後是總說一切諸佛。

無邊身如來距離我們現在，就是距離地藏王菩薩說法的時候，時候太長，無法計算。阿僧祇劫翻成無量壽數，就是沒有數字可以算。在那個時候的世界，有一個佛出世間，號無邊身如來，無邊身佛的身無量，前面是說時無量，出世就是那個處所，無邊身是每個佛證得法身理體，每個佛都可以稱無邊身，因為身無邊，沒有邊際，虛空無邊，衆生也無邊，衆生永遠無盡，不論時間久遠。處所呢？處所就是那個很長時間的那個處所、那個世間，有這麼一尊佛出現在世間，叫無邊身如來。

假使說未來現在，不論男女聽到無邊身如來的名字暫生恭敬，如果大家誦《地藏經》的時候，聽到無邊身如來，心裏很羨慕的，合個掌。誦到《地藏經》稱佛名號品，每誦到這個佛名號時，你合掌表示恭敬，那麼就超越四十劫重罪。起碼你該下地獄的或該墮惡鬼的，這個四十劫罪消了，就少受四十劫的痛苦。聞到這麼一個佛名號，如果塑一個形象或者上供或者讚歎，這個福就是無量無邊，就看你這個修行人是怎麼用心。我想這個無邊身如來很少有塑像的，你給他供養可以做得到。好比念《地藏經》的時候，你不是點香嗎？或者你跟前有花，用香花供養無邊身如來也算做了供養，你心裏一念間的迴向，這個福德無量無邊；福德跟罪業是對比的，相對的，有福的人跟窮苦的人，不受罪的人跟受罪的人，兩個不相對比嗎？有了福德就沒有罪了，有了罪了就沒福德了，消了罪的就是福，有了福的罪就自然消了。

因為你一念是佛，這一念的當中功德不可思議，如果做無相觀，以前我經常這樣想或者講《金剛經》或其他經也這樣講過，特別講是《般若經》，我說什麼事情你看破了，放下了，你就得自在了。但是這兩天我感覺這句話不究竟，這句話還是有毛病的，有什麼東西看破呢？看破了要安到什麼上面呢？放下，你必須拿個東西，有個執著的東西才能放下，法身就是自心的本體，你根本什麼都沒有了，放下什麼呢？這是很究竟的、了義的，是心、佛跟衆生三無差別。既然無差別又有什麼是佛？什麼是衆生？這需要參的。當你念完佛號了，念一聲無邊身如來，念完了，你想什麼是無邊身如來？我能念的心，我現在緣念無邊身如來就是無邊身如來，沒有緣念沒有看《地藏經》，沒有聽地藏王菩薩講，我還沒有想到這個佛名號呢？是不是這樣？當你沒有聽到《地藏經》，你也不知道地藏菩薩。這是禪意，你自己要多修觀。

現在我們講的完全是世間相，世間相做好事做壞事是截然不同的，享福的跟受罪的也截然不同的，什麼是福？什麼是禍？在修行人的意念當中，來認識就是了，我這裏含有另外一種意思，就是大家要修觀，那是理。

「又於過去恆河沙劫，有佛出世，號寶性如來，若有男子、女人聞是佛名，一彈指頃發心歸依，是人於無上道，永不退轉。」

「寶性如來」，沒有說福德，只是說你聞到這個佛名號，「一彈指頃」的時間，皈依他，做他的弟子。怎樣皈依呢？你就稱「南無寶性如來」，南無就是皈依，說我皈依你，一稱佛名，時候很短促，你於無上道，也就是佛道，就永不退轉，一定將來能夠達到成佛，不會退墮。

世間相講是這個意思，但爲什麼前面是四十劫重罪，這個卻是一直成佛？

這裡並沒有說你以後就沒有罪了。因爲這裡是在理上講的，把寶性如來和你自己的本心本性相同的，在這中間產生了一種殊勝的作用，勝妙作用就是心佛相合，你自己的心不變不異是那個眞如心，雖然在凡夫地，被無明垢染所障礙，我們是有但等於沒有，爲什麼呢？被這些障礙污染了就見不到了，雖然你具足寶性，但現在還沒有顯現。現在一稱寶性如來也能夠種下種子，寶性如來教導衆生的就是一切衆生具足此心，所以說聞到這個佛名字，你就一定能成佛。

「又於過去有佛出世，號波頭摩勝如來，若有男子、女人聞是佛名，歷於耳根，是人當得千返生於六欲天中，何況志心稱念！」

這不是按次序的，不是說無邊身如來消了四十劫罪，寶性如來又可以成佛。「波頭摩勝如來」只是一千返生於六欲天，好像這個功德沒有前面大了，好像不能成佛，不是這個意思，一尊佛有一尊佛的願，一尊佛度衆生有一尊佛的方便，這都是根據每尊佛的方便，每尊佛的願而說的。

波頭摩勝，翻赤蓮華，蓮花是出污泥而不染，佛在世間利益衆生，不會減他的本德，不會減他的清淨，就是這個涵義。若有男子女人聽到波頭摩勝如來這麼一個聖號，「歷於耳根」，耳朵聞到了波頭摩勝如來德號，感到一個果報，可以生六欲天，六欲天就從四王、忉利、夜摩、兜率、化樂、他化自在，一共六天。從第一天生第一天，第一天壽命盡了又生上天就是這樣，來回在六欲天中反反覆覆的生一千次。如果要志心誠念，就是誠懇發願的念，那福德就更大了，這是第三尊佛號了。

「又於過去不可說不可說阿僧祇劫，有佛出世，號師子吼如來，若有男子、女人聞是佛名，一念歸依，是人得遇無量諸佛摩頂授記。」

師子吼是比方的意思，獅子叫喚的聲音能使百獸恐懼，可以銷我們一切的罪障，這是假喻來顯佛的聖德。假使有男子女人在末法時候聞到「師子吼如來」這尊佛的名號，「一念」，就是時間很短暫，「歸依」就是歸依佛，那麼這個人能夠遇到無量諸佛乃至於諸佛給他授記成佛。《地藏經》上這些佛的名號，是特殊的，是地藏王菩薩說的，是他親近過的。這尊佛就遠了，過去不可說不可說的時間，現在又說到近的。

「又於過去，有佛出世，號拘留孫佛，若有男子、女人聞是佛名，志心瞻禮，或復讚歎，是人於賢劫千佛會中為大梵王，得授上記。」

這是說近的，不是很遠的，「拘留孫佛」是賢劫千佛的第一尊佛。做了梵天的梵王，還得授成佛的記，賢劫千佛給你授記說，你將來一定能夠成佛，我們都是授記的。如果你聽見一遍《大乘妙法蓮華經》這個名字，將來一定能成佛，什麼時候成佛呢？時間就不一定了，就看你自己的努力了。你修得好，進步得快，劫就少一點，如果你聽了，種個種子而不修，時間就長了。因為《大乘妙法蓮華經》就是成佛法華，為什麼呢？誰聞到這部經的名字，誰讀誦這部經，誰就一定能成佛，因為這部經是開示悟入佛的知見，這僅僅說是聞名，如果你聞了名字，你不修行，將來也要成佛，今生不修，來生也會修，你善根發現了，你會修行的，所以叫成佛法華。

現在我們聞到這些佛名字，也一定能成佛，所以每部經上說的授記都是這個涵義，拘留孫佛是在我們現在賢劫的第一尊佛，在過去七佛當中，他是第五佛，距離現在沒有很久，不是不可說不可說劫了。什麼叫拘留孫佛呢？就是所應斷，所應斷的煩惱，他都斷了，所應斷的無明，他也斷了，這叫所應斷。他是在賢劫的第九劫，減劫時候，那個時候人的壽命減到六萬歲。出一尊佛很不容易，要經過很長的時間。

「志心瞻禮」，瞻禮是身業，志心是意業，讚歎是口業，剛才我們講三業清淨，當你受灌頂也好，念經也好，在還沒有念之前，邊做觀想，身坐端正，端正使心氣不要浮燥，坐下沉靜一下，這屬於身業，等你一打開經本，前面一定是讚歎偈子，香讚，念《地藏經》就稱讚地藏大士不可思議，你念〈普賢行願品〉有普賢的偈子。你念哪部經就有哪部經的偈子，先讚歎，身業坐著，沒什麼其他的來干擾，完了，口裏念經，意業志心就是一心，誠誠懇懇的念，這就叫三業清淨。

要是對於賢劫的拘留孫佛稱揚讚歎，你可以得到什麼效果呢？在賢劫千佛會上你做大梵天王，不論哪尊佛降生，第一個請佛說法的是大梵天王，大梵天王有些是發願再來的，有些就像《地藏經》說的，你遇到拘留孫佛的名號，你心裏歡喜，口裏讚歎，身業恭敬，你就是在賢劫千佛會上做大梵王，做完梵王，每尊佛前都給你授記，將來一定能成佛。

授記的意思，我要多說幾句，我剛才說我們將來都成佛，因爲《法華經》都給我們授記了，但是等到什麼時候，將來的時間就長了，不授記你也成佛，像《華嚴經》說的，心佛眾生是三無差別，雖然你已經成佛了，但是你沒有佛的用，你成了佛還有苦惱，所以我們沒有成佛！自觀本來本具的，但畢竟不是佛，將來在流浪的時候做什麼還不知道，你自己就要多用點功，把本性的佛法顯露出來，不要被見思煩惱、塵沙、無明纏覆蓋。

「又於過去有佛出世，號毗婆尸佛，若有男子、女人聞是佛名，永不墮惡道，常生人天，受勝妙樂。」

這是過去七佛的第一尊佛叫「毗婆尸佛」。什麼是毗婆尸呢？翻勝觀，什麼叫勝觀呢？就是種種的觀想，種種的見，這就像《華嚴經》的意境，無窮無盡的觀想、重重的見解。這尊佛是在釋迦牟尼佛準備成佛的時候，修行了三大阿僧祇劫滿了就遇見毗婆尸佛，遇見他修什麼呢？修百劫相好。

我們經常念：「天上天下無如佛，十方世界亦無比，世間所有我盡見，一切無有如佛者。」就是釋迦牟尼佛親近毗婆尸佛所說的讚佛偈子。釋迦牟尼佛說：「天上天下無如佛，十方世界亦無比」，說這個偈子連續說了七天七夜，削了一支足站著，當然他已經修到那個程度，身見都沒有了。若未來世的男子女人聽到毗婆尸佛的名號，永不墮惡道，再不墮三塗了，惡道專指三塗說的，地獄、惡鬼、畜牲，所以地藏王菩薩說你聞到《地藏經》，再不墮惡道是有原因的，因爲這裏說你聞到毗婆尸佛就不墮惡道了，我們拜八十八佛也拜毗婆尸佛，我在這裏提出來，大家應當注重一點。

「又於過去無量無數恆河沙劫，有佛出世，號寶勝如來，若有男子、女人聞是佛名，畢竟不墮惡道，常在天上，受勝妙樂。」

這是《地藏經》上稱佛名號的第七尊佛，叫「寶勝如來」，寶勝如來就是南方的寶勝如來，就是我們經常看見放生時的七佛。這個七佛的寶勝如來就是南方的寶勝如來，這個「勝」跟衆生的「生」相同，密宗就叫寶生如來，顯宗翻寶勝如來，有時候翻的音不相同，但是同一個佛。寶勝如來有個願，他誓度惡鬼道，因此聽到寶勝如來的名號，就畢竟不墮惡道，他看見惡鬼最苦了，所以我們放生的時候，放生池都有寶勝如來。聽聞到南方寶勝如來聖號，就能常在天上受勝妙樂，不受苦了，這兩個是相互比較的。我前面講了，你不受罪了，就是享福了，不墮惡道就是生天上，就是享福。

「又於過去有佛出世，號寶相如來，若有男子、女人聞是佛名，生恭敬心，是人不久得阿羅漢果。」

「寶相如來」，寶相是由體而說的，這個相我們前面講釋迦牟尼佛百劫修相好，佛佛都如是，要利衆生必須要修百劫相好，阿羅漢不利衆生成不了佛。還有禪宗講，開悟了，就成佛了，距離還很遠的，眞的是大徹大悟，還得修百劫相好，何況還達不到那個地步。相好是修來的，說人家相貌很好，誰見了都生歡喜心，那就是福德，有些人大家見了就煩惱，他想求人家辦點事情，人家也不高興，有些人大家看了喜歡，他一說就很容易過關了，這一點我深有感覺。

我記得在青島湛山寺的時候，日本侵略我們，有位日本軍人叫板垣正四郎，後來當日本的陸軍部部長，他要到大殿禮佛磕頭，我們跟他說：「你進殿磕頭要把你的戰刀摘下來，不能帶著刀去磕頭，你帶刀去磕頭，佛不會加持你。」他看看我們說：「武器如果摘下來不是繳了我的械嗎？那樣的話等於繳械投降的意思。」我們跟他說：「這是中國的規矩，你帶著刀帶著武器進殿是不行的。」後來他還是摘掉了，不然不要禮，不進去也可以。

這是說我們見了佛像一定要恭恭敬敬的，除了佛有那麼大功德力，能使你一見就生歡喜心，不論你怎麼煩惱，當你見佛禮拜的時候，煩惱總要輕一些，因爲你見佛的目的是來求斷煩惱的，或者我們有什麼心裏不順，情緒不好，念一念經，遇到倒霉的時候就求佛加持，享福的時候，他增長福。

所以寶相如來給人什麼呢？成就相莊嚴，這個人不久就能斷惑，證眞乃至於不流轉生死了，證得無生忍羅漢，就得四果，這當然不是究竟的，每尊佛發的願不同，這十尊佛發的願都不一樣。所以見了佛，你所得的果報也不一樣，但是我們從第一尊佛到第十尊佛，每尊佛所發的願你都具足了，你念《地藏經》不念這些佛名號嗎？證了阿羅漢果，已經了生死了一半了，雖然變異生死還沒了，但是他就不再造罪，斷了見思惑了。沒有不發心的羅漢，我們不是說他是小乘嗎？但《法華經》說他都發心了，《法華經》說度一切衆生都成佛，他只是心量不大，菩提心不大。有些學禪宗或密宗的人，認爲自己即身成佛了，開悟成佛了，有些人輕視阿羅漢，也有些人說小乘人沒有煩惱，大乘人煩惱都具足了，不過發大心的凡夫，發菩提心的大心凡夫超過小乘的聖人。但是要講苦惱，減少痛苦、斷煩惱的話，大心的凡夫可就不如小乘的聖人了。小乘聖人沒煩惱，他斷了見思惑。怎麼講呢？像菩薩來人間度衆生，有沒有煩惱呢？照樣有的，菩薩對於他的見思惑不是斷而是縛，縛就是壓伏，不讓他再起現形，用他的心力，用他的大慈悲心來制服。

我拿虛雲老和尙跟鼓山的慈舟老法師爲例，因爲慈舟老法師大慈悲心很切，一講到戒律、講到衆生苦，講到《地藏經》，他都會流眼淚的。虛雲老和尙就不是這樣子，虛雲老和尙總是相貌很莊嚴的，他永遠不會給你笑臉，跟你嘻嘻哈哈，至少我那幾年沒見到過。我就問首座和尙說：「一個是這樣的慈悲、這樣的攝受衆生，一個是這樣的莊嚴，如何解釋呢？」首座和尙跟我說：「哭者是阿難，不哭者是迦葉。」當然他這是抬高虛雲老和尙，凡是禪宗對於說教理的，總是感覺不究竟似的，從那個時候我就體會了，我們對一切衆生都當成父母，那麼對二乘人如何看法呢？一切衆生都是父母，何況是成了聖人了，我們還可以輕視他嗎？我們還有驕傲的、狂妄自大的，見了羅漢像不理的，要知道羅漢是代表僧的，地藏王菩薩是出家的比丘，只有地藏王菩薩現的是比丘身，是剃頭髮的。

得阿羅漢果而後要發心，他一發心就有神通自在。大家看濟公，他不是證得阿羅漢嗎？他是伏虎羅漢，所以我們對一切人都不會輕視，更何況是阿羅漢？要是遇到寶相如來，你聞到這尊佛的名字，你生了恭敬心，不久你就能證得阿羅漢果，你就斷煩惱。

「又於過去無量阿僧祇劫，有佛出世，號袈裟幢如來，若有男子、女人聞是佛名者，超一百大劫生死之罪。」

比前面的四十劫又多了六十劫，這都是按世間相說的。袈裟翻福田衣，就是我們和尚披的這件衣服，這叫福田衣，印度叫袈裟。袈裟翻福田又翻解脫，這件衣叫解脫衣，披上這件衣少一些煩惱，降伏一些煩惱，由於披這件衣而能夠得到解脫。因爲是向解脫的路上走，聞到這尊「袈裟幢如來」的名字，不論是男人女人，耳根聞到這尊袈裟幢佛的名字，你就銷了一百大劫生死重罪，也是永遠不墮三塗，不墮地獄、惡鬼、畜牲。

「又於過去，有佛出世，號大通山王如來，若有男子、女人聞是佛名者，是人得遇恆河沙佛廣爲說法，必成菩提。」

這尊佛「大通山王如來」不在我們這個世界。大通，通者就是神通自在的意思，什麼大呢？智慧大，就是般若大；色相大，像山大似的威儀大；證果大，這是形容詞。假使有男子女人聞到大通山王如來這個佛號，「聞是佛名者，是人得遇恆河沙佛，廣爲說法，必成菩提」，聞到這個佛名號之後，這尊佛加持你，使你能夠遇到恆河沙數那麼多佛，就是生生世世遇佛，不只千佛也不只萬佛，恆河有好多沙子，你遇到好多佛，這些佛都給你說法，你聞到這些佛在說法，當然一定證得菩提果，也就是說你一定能成佛。不用說是恆河沙佛，我們也不曉得過去有沒有遇到過佛，但釋迦牟尼佛，我們只是聞法見像而沒遇到佛。遇佛不是那麼容易的，得要有那個善根。現在我們種了善根，聽到大通山王如來這個名號歷到耳根，我們將來能遇到恆河沙數那麼多佛給我們說法。像大通山王如來那個樣子，什麼大呢？智慧大，聞到那麼多佛說法，當然智慧大，這是略說的，後面是總說。

「又於過去，有淨月佛、山王佛、智勝佛、淨名王佛、智成就佛、無上佛、妙聲佛、滿月佛、月面佛，有如是等不可說佛。」

這些都是用比喻來形容佛號的。「淨月佛」成佛的時候，他感果得了這個佛號，是由於他因地修行時候能夠清淨得像月似的。月亮是什麼樣子呢？光明，我們看到月亮就感覺到心裏舒服一些，特別是在十五的月亮，圓滿光明心淨，這尊佛他感的因地時候，是他心裏清淨所感的果，所得的名號就叫淨月佛。

以下佛的名號，都是由他感果而說的，我們不用一個一個的講，除了上面的十佛，再加上最後這些佛的名號，這是地藏王菩薩對末法衆生特別慈悲說這些佛名號，爲什麼一聞到佛名號就得到那麼多利益呢？就能銷除那麼多災難呢？是我們的心跟佛的心結合在一起。

「世尊！現在未來一切眾生，若天、若人、若男、若女，但念得一佛名號功德無量，何況多名！」

以下是地藏王菩薩的總結，我說了這麼多佛名號，就是使衆生得到利益，現在未來一切衆生若天若人，能夠聞到一佛名號，念得一佛名號功德無量，念一佛名號都可以，何況多名呢？何況稱讚許多的名號呢？我們念釋迦牟尼佛名號也是一樣的，我們要體會《華嚴經》的意義，一句一偈，念一個佛名號就具足一切佛。《華嚴經》說的就多了，一說都是三千大千世界乃至一塵，還不是恆河，把三千大千世界化爲微塵，一佛一世界，又把三千大千世界的這些佛一稱一佛，一佛一世界，那就是無窮無盡的三千大千世界，再把它化爲微塵，每一微塵一佛，這個佛就算不出來了，但是你念一佛名號具足一切佛，這是你心量大的意思，現在舉了這麼多佛號，就是地藏王菩薩對未來眾生的加持力。

一佛名就功德無量，多佛名不就更加功德無量了嗎？涵義就是這個意思，只是念佛名號，沒有說另外的修行。前面講到只要有些佛名號一歷耳根就能銷除罪障，就是聽到這個佛名號，你隨著佛名緣想，緣念，不是說你受持、禮拜、持誦，只是一歷耳根，不一定懂。所以大家看到蚊蟲螞蟻一切眾生應當給他念佛名號，你念佛菩薩的名號，你說牠能懂嗎？我看這些佛名號我們也不懂，如果用梵文念到佛名號，或你走到印度，他用印度原文念，你懂嗎？

你還是不懂，只是一歷耳根種個種子。「釋迦牟尼佛」的涵義，不講你也不懂，就是講了，翻成華言「能仁寂默」，你還是不懂。所以你對其它的衆生說，你別認爲他不懂，一歷耳根他的善根就種下了，這都是種善根，銷除罪障，並不是說我們懂，依著就修行了。因爲你念佛名號，你的種子種下了，將來你的善根成熟了，你自然會修行。我剛才講禪秘要法的時候，一說念佛的方法，誦佛的名號，大家念佛的時候走動是種善根的，最好是修三昧念法，就是靜坐下來舌根舔上顎這樣的念，你自己所念的佛號都達到寂靜了，這就是定，定而能生智慧，這個智慧是什麼呢？就是你自己的心，跟佛結合起來說了好多功德，就是鼓勵你修行，鼓勵你持誦，鼓勵你心佛合一，心佛合體。

「是衆生等，生時死時，自得大利，終不墮惡道。」

聞到以上佛名號的這些衆生，不論他生前死後都得到不思議的利益，永遠再不墮惡道了。

沒有衆生，也沒有佛。心即是衆生，心即是佛三無差別，我們的性覺圓明就像《楞嚴經》說的妙明眞心，緣成覺緣，妙就是我們的心，佛跟衆生是一個，是整體的，所以我們那個性覺的本具的，本來是圓滿的，沒有衆生也沒有佛，因爲你的心不信，不覺而生的無明。從無明而產生的是什麼呢？一念不覺生三細相，就是業轉現，還是一心。這個時候只是一點點糊塗，業轉向三相，等到智相、相續相、執取相、計名字相、起業相、業繫苦相，這才是我們的生死根本。

一天到晚的造業，被這個業縛住了，你就受苦了，你感覺到不自在，感覺不舒服，一天總感覺不如意，這就是業繫。業是什麼呢？惑是什麼呢？是迷，因爲迷了又造業，愈造愈迷，愈迷愈深，這是起惑造業，才受生死輪轉，本來也沒有生死輪轉，本來也沒有這個名字叫衆生，也沒有這個名字叫佛，這種觀不容易修，這叫實相觀。

現在我們還得從有門入手，所以就從念這些佛名號，你念一部《地藏經》，第九品，可以！就稱佛名號，只念這一品。就像我們念《法華經》，我們不能念全部的經文，沒有那麼多時間，只念〈普門品〉，我喜歡《華嚴經》，可以念〈普賢行願品〉，這樣《法華》、《華嚴》都有了，兩部經加在一起讀不要半個鐘頭，所以讀誦這些大乘經典，你讀誦久了，你心裏跟所念的經文合一了，你就是佛。一念覺一念佛，念念覺念念佛，一念不覺就不是佛了，是衆生。我們有時候說糊塗，有時候又明白，人都是這樣子，但是我說的這個明白，不是究竟說的明白，有時候開智慧，開悟了，什麼叫開悟啊？當你不明白的東西，人家給你解說明白了，喔！原來是這麼回事，你開悟了。或者你自己想一個問題，一下子豁然貫通，哦！原來是這樣子，那也就開悟了。等到你悟到究竟了，你才曉得沒有衆生，也沒有佛也沒有什麼利益，利益是對禍害說的，福是對著罪業說的，快樂是對著痛苦說的，根本也沒有快樂，也沒有苦。

「若有臨命終人，家中眷屬乃至一人，爲是病人高聲念一佛名，是命終人除五無間罪，餘業報等悉得銷滅，是五無間罪雖至極重，動經億劫，了不得出，承斯臨命終時，他人爲其稱念佛名，於是罪中亦漸銷滅，何況眾生自稱自念，獲福無量，滅無量罪！」

這幾句話是總結前面的經文。「是衆生」，是哪些衆生呢？是聞到以上諸佛名號的衆生，不論他在生的時候，臨命終時死的時候，都能得到利益，再不墮惡道了。這個惡道指的是地獄、惡鬼、畜牲，就是做人，做人也不是一樣的，有些做了人，他很幸福的生活一輩子，有些做了人很苦，這個苦比惡道強，但是我們看看在這個社會上的人，眞正愉快的，生活過得很好的還是少數的，多數人還是很苦。這個得大利的就是只能說他不墮三塗了，就是做了人也能比一般人好得多，生活的四種緣，就是衣食住行，得大利是包括這幾種。這裡只說聞到佛的名字，這是在事上講。要是依理上講，人跟佛的本體是一樣的，一個是迷，一個是悟，一切經都講性空，性空就是什麼也沒有，世間一切相，一切種種事物，這是緣起。

有人問我說：「釋迦牟尼佛夜睹明星開悟了，他得到什麼了？悟到什麼了？」我認爲他得到的就是性空緣起，因爲我們衆生只知道在緣起上執著而不能性空，那麼就得不到這個功德，但是假佛的修正，假他的功德加被，我們也得到大利益了。我們經常說，業是不能相代的，既然是不能相代的，佛又怎麼能加持我們呢？不是佛加持我們，是你自己加持自己，你能夠有個善的根緣，善的因，聞到這些佛的名號，這是你自己的善根。所以聞到這些佛名相結合了，相結合之後，就產生了一個不墮惡道的效果。

所以我們沒有遇到佛，這是事實，釋迦牟尼佛已經過了二千五百多年，但是我們能夠聞到法，就是他所說的話在人間，還有這個因緣也不可思議了，再往後就沒有了，連法的因緣也沒有了，這就在現世裏也有這些情況。我們說在大陸上出了幾間佛學院，准許你講，社會上不許你講，想和在這裡一樣租間房子就講佛經，是不許可的，這種集會絕對不許可，你事先得備案，得登記，不只是佛教，基督教、天主教、回教，說祈禱集會不行的，除非他准許你。那幾處的寺院教堂，現在這個時候漸漸就斷了。你想聞到一尊佛的名號，還有講經說法的，這種情況很不容易了。在美國是自由的，沒有這個限制，但是講的人沒有了，聽的緣不具足也不可能了。地球上有這麼多洲，幾處是有佛法的呢？很少的。

前天有位台灣的弟子打長途電話找我，因爲他看見我們《占察善惡業報經》的錄音帶，他說他這幾十年經常想聽聽《地藏三經》，他是學地藏法門，簡直沒有這個緣，有緣就聚，沒緣就遇不到，這問題不大，我們聽的人感覺有什麼特殊的，這個幸福嗎？聞到了有感到這個難遭難遇想嗎？恐怕沒有，事實上確是如此。

所以「是衆生等」是有限定的，是能聞到以上這些佛菩薩名號的衆生，他才能得到大利，沒有聞到是得不到的，這是總結。

「若有臨終人」，有的人他的命盡了，這是指的正常死亡，他壽命該五十歲，或六十歲，或者七十歲，他壽命盡了，命終這是正常的死亡。至於在《藥師經》講的九種橫死就是不該死亡，本來不該壽命盡，機緣湊合，或者車撞死亡或者飛機失事，或街上流彈或搶劫，突然遭到生命的危難，像這種情形就不在我們所說的範圍了，這是在他臨命終的時候死亡的。善亡者能有這個機會給他，或者他家裏的眷屬，或者他親戚朋友，或者我們這些道友們，彼此都是佛教徒，道友們給他助念，乃至一人，最少有一個人在他身邊給這位害病要死的人念一聲，不是多，高聲給他念一佛名號，如果是多聲更好，在他耳根旁邊念，你念阿彌陀佛，念消災延壽藥師佛，念地藏王菩薩，前面親近過的這些佛都可以，寶勝如來，寶相如來都可以，隨便哪一個佛名。

這位命終人得到什麼好處呢？除五無間罪。我們在前面講，弒父、弒母、弒阿羅漢、出佛身血、毀謗大乘、破四根本戒，這是犯了五無間罪，這種罪最重的。在臨終的時候聽到佛名號，這個罪業就消失了，聞一個佛名號就消失了，那麼其它的小罪，殺害衆生、吃葷乃至開飯館，總而言之，種種的業更不算什麼了，連五無間都消失得了，何況其他的業呢？都可以銷滅的。

我們經常說我們的業障重，其實我們的業障還不重，原因是什麼呢？業障重了我們不會聞到這麼多名號，而且是在末法最嚴重的時候，這個世界災難重重的時候，正法像法都泯滅了，在這個時候我們還能聞到佛名號，還能夠修行，還能夠念經，那就說明了一定能成佛。

以前有一個故事，唐宋時代的這麼一個律師，大智法師，他發願不求生佛國度，他發願要常生娑婆世界，永遠在這個世界度衆生。他說有的佛國土是淨佛國土，像我們所處的這個地點是污穢的，他認爲這是依衆生心來分別的，到了淨土法門，不能行六波羅蜜，只能修供養，到十方諸佛去供養，因此他不願意生淨佛國土，看見別人求生淨佛國土，他生起很輕微的謗毀，說了一些不贊成的話，後來他就害了一場大病。在他害大病的時候，神識就不那麼清楚了，他是有大善根的人，因爲平日持戒宏法利生，所以在這個時候他產生覺悟說，勸人家不要生淨土，這是錯誤的，是犯罪的。他看智者大師所著的一部論叫〈十疑論〉，這部論上講，初發意的菩薩，就是才發心行菩薩道的人，你就不能離開善知識，也不能離開佛，就像才生下來的嬰兒不滿一歲，嬰兒不能離開娘，沒有娘護理他，他成長不起來，初發意的菩薩沒有佛沒有善知識護念你的話，你行不了菩薩道，未得無生法忍的人必須得佛菩薩善知識的護持，只有在淨土才能常不離佛，因此他就發願懺悔以前的罪。

在〈大智度論〉裏說，一個具足惑業的凡夫，我們大家都在內，也就是俱縛凡夫，被貪瞋癡慢疑，身邊戒禁邪纏縛住，讓你不得解脫。縱使有大悲心，就是有利益衆生的心，具足大悲心，願生惡世，發願生到罪惡世界來，要想成道，無有是處。〈大智度論〉說，一個俱縛的凡夫要想在五濁惡世成就道業是不可能的，縱然有大悲心沒有到無生法忍以前是不可能的。

我說這些是什麼意思呢？就是勸大家不論你自己的願力如何，多勸人家念佛，你要是一心不亂念阿彌陀佛更好，就是念這些佛名號，那些佛都帶你到極樂世界，文殊、普賢、觀音、地藏都會導引你生極樂世界，但是你必須有個願心，你不可以生輕慢心，不要一個貢高心，說我生不生極樂世界沒有什麼關係，我在這個世界就可以了，發這樣的大心可以不可以呢？可以，但你必須不怕苦，在這個世界流浪受苦你就要受。

有些人很堅強的，我們要想有一點修行，有一點把握，你還是念佛生極樂世界之後，有了定力，有了智慧，得了無生法忍，再回到娑婆世界去度衆生，就不會墮到三塗，也不會受罪。這種例子很多，就像船本來漏了，是一條壞船，破了，你要用這條船再去度人家，你能度得了嗎？因爲你的船本身漏了，恐怕連船都要沈了，你就是度人，也度得不徹底，而且要看當機衆，當機衆就是這個衆生是什麼樣根基就應當對他說什麼法，不能夠偏於一邊，也不能夠執著。像地藏王菩薩他最初發心到地獄度衆生，那是取苦的，但這是一種願力，像這一類的大心衆生，他是有定力的，我們一般人還是求生極樂世界，比較有把握。但在《華嚴經》，方等了義的大乘經典，他說這個世界就是淨土，娑婆世界就是華藏世界。所以就看對那一類的機，絕對不能執著。例如傳密法的，受了密法，千萬不要輕視顯教的各宗各派，也不要輕視淨土，學顯教的也不要毀謗密宗。凡是佛說一切的法門，我們都應當學。

凡是學《地藏經》的，都先給我們一個保證，什麼保證呢？再不墮三塗了，凡是學過《地藏經》的，再不墮三惡道，因爲經文每一品的內容都說你不墮三塗，因此，總起來說，學了《地藏經》，你再也不要怕下地獄，也不必去想地獄。《地藏經》所講的這些地獄，你現在就跟地獄已經沒有緣了，你沒有這個緣起，你這個緣起是什麼緣起呢？是隨性體空義的緣起，現在不論顯教密教都如是講。

最近薩迦仁波切在大覺寺開示，他前兩天也是講性空，就是按《心經》上的意思講，知道性空，必須要知道緣起，要是先知道性空就偏於空，偏於空了知見就容易落於斷滅，必須知道緣起，一切法都是因緣生的，因緣生的因緣滅，這種才能達到性空，性空緣起，緣起性空，這兩個是相互反過來講的。你明白這個理，你不執著有也不落斷見，也不落空見。不執著，你還要種善根，逐漸才能成佛。你要是落了斷空之見，不但成不了佛，還永遠下三塗讓你嚐嚐。現在我們空不了，我們一天身所受的，思想所想的，肉體現在所有的一切行爲都在有當中，因爲你沒有悟得緣起，連緣起的因緣你也不清楚，我們必須知道緣起，有個主要的緣起必須要知道，這個主要緣起是什麼呢？是心體。沒有這個心體，別的因緣就促成不了。說是地獄，地獄也是緣起，因爲你有那個業因，以後才有那個果，才有那個事實，因都沒有了，果當然也沒有了，那個緣生不出來了，這是附帶說的。現在我們還是多注重在有上，要善識因果。

「是五無間罪雖至極重，動經億劫，了不得出。」這裡先說一個事實，你犯了五無間罪，這種罪是極重的，墮了阿鼻地獄，永無出期，永無出期就是時間特長，等你出來又下生到人間之後又造業，到了人間，六根不全，遇到的善緣也不好，總是窮困，爲了生活就造業，造完業又下去了，不曉得那個時間的善根成熟了，聞到佛名號才能把地獄的業減輕，才能消失。

前面這四句是說你造了五無間罪，這種罪是極重的，你要是墮入地獄，是像億劫那樣長的時間都出不來，不能脫離那個苦。假使說你能有這種善因緣，犯了五無間罪了，非下地獄不可，但是不固定的就起了變化，起了什麼變化？在你將死之前，別人在你耳根旁邊稱念佛名號，《地藏經》上沒有講到阿彌陀佛的名號，哪一尊佛名號都是一樣的，佛的功德都是一樣的，佛跟佛沒有地界之分，沒有美國、中國，進海關得要手續、要證件，佛跟佛的世界上沒有這種制度，你到極樂世界去就要一個證件，什麼證件？你是念佛來的，你念到一心不亂了，這個就要念了，不然你也去不了。五無間罪就因爲這麼一聲佛名號，稱念佛名，這個罪就漸銷了，這是別人給你念的，何況衆生自稱自念呢？何況你自己念，我們現在都是自己念，能夠獲無量福，滅無量罪。

所謂感應，感就是你求，應就是你得到了，是不是罪業銷了呢？如果這個病是因爲罪業而有的病，當然會銷了。如果你每日念經做日課，不論什麼病，你爬也要念，就算是爬不起了，不能照念，在心裏也要念，不能念全的，我念少部分，少部分也不能念了，念地藏王菩薩就行了，念地藏菩薩也等於念全經了，我說你會得到加持的。

學佛信佛不是爲了解決問題，那信佛做什麼呢？就是爲解決問題。但是爲什麼我們求的得不到？因爲你不曉得這裏面錯綜複雜的因果；假使你一求就得到了，這裏頭還有別的，還有比這更倒霉的事。本來你受個小罪就過去了，你不想受這個小罪，大罪或者來了，我們現在窮，求發財，我說等你一發財，命也沒有了；因爲你沒有，你想求得，想求得的不行，我是用我自己的事實證明。要是有病，你克服一下，堅持一下，會有轉化的。就說癌症不能治了，已經開過兩次刀了，醫生說：「你不開也是死，開也是死，我也治不了！」那麼他念觀世音菩薩，會念好的，有人念《地藏經》也有念好了，這種信力的關係非常大。

一切世間法、出世間法就是緣起，緣起就是因爲你的心，因爲過去多生宿業的業，那個因緣的緣起成熟了，你有一種小力量轉變不過來，除非自己的心猛利，爲什麼說臨終時候念比你修行一百年的功力都大？不信的人到臨終時人家給他念爲什麼效果那麼大呢？我們大家想一想，人到死的時候，我們誰也沒有死過，死的時候有很多痛苦，兩方面拉扯，沒一個人想死的。

另外到了那時候，那個痛苦的壓力、苦難的壓力比任何都大，他正想要求一位救護者保護他，如果你一念佛，他認爲這就是他的救護者，他就完全繫念到這上面，什麼痛苦都不管了，在這個時候他臨命終了，這個期間沒有造業，在聽到你給他念佛，這個時候他一心想著佛號了，其它都不顧了，在這期間沒有夾雜別的念頭最容易至心了。那個時候他就一心了，觀想的心力很大。

就像我們睡覺做夢，如果你念佛，念菩薩聖號念得靈了，在做夢中你碰到危險事，只要一念，或者念觀世音菩薩或地藏王菩薩，你一念，馬上醒來，不會再繼續做夢，一念就醒。我試驗過好多次，到那個境界相來以前，你念確是好的。或者你做夢，夢到自己要死了，或者夢到你的仇人拿把手槍對著你，要打你，你要死了，或者做夢夢到害重病，沒有辦法活不了，或者做夢走到一座山的懸崖，一下掉下去了。在這個時間，念佛號，念菩薩聖號，一念馬上醒，那個夢也是業，那一念把那個業轉化了。但是到了那個時候忘了，好多人都是嚇醒的，很多人不是念佛念醒的，念醒的少，你說他假的，假的醒了身上都出汗，有很多人醒了之後驚恐的出汗，做惡夢醒了之後，你摸摸自己的心口，跳得不得了，你說是假是眞？稱念佛名號滅罪是根據這個樣子體會。

一個人要把握自己的知見，把握一個自己的信仰是很難的，我們雖然是聽到《地藏經》教我們很多的方便，可以免難免罪的方法，我們還要時時警惕，因爲我們信仰。還有我們做的都不是不變的，因爲我們沒有扎根，隨著外頭客觀的環境，我們會起變化的，一變化好事就變成壞事，這要特別注意，這是鼓勵我們。

假使說你造的罪惡很大，你不要顧慮，只要臨命終時有人給你助念，你的罪就消失了，有沒這樣的人呢？不要緊，我享受一天算一天，等我臨命終時，誰給我助念就好，怕你到臨命終時沒有助念的，往往是出乎你意料之外。你在旅途之中，或者在什麼地方，一個道友也沒有，一個眷屬也沒有，你突然死亡了，跟前什麼也沒有，什麼名號也聽不到，這就靠你生前自己的準備，不要說等到那個時候，要是等到那個時候，恐怕要錯過了。

因爲這是地藏王菩薩向釋迦牟尼佛說末法衆生罪惡很大，我有一個特殊法門讓他們稱佛名號，這一品就是地藏王菩薩特別加持的，這一品的修行方法就是稱佛名號，念阿彌陀佛也是一樣的，念阿彌陀佛一佛的名字也就是念千百萬聲諸佛的名字，包括我們前面這十佛名字也都在內了，一心念一佛名字，專心一意的，假你自己種的因，等你臨命終時自然有人幫助你念阿彌陀佛。因爲這兩者是相合的，如果你現在一邊造罪，等到臨命終時，別人想到你跟前念佛恐怕都到不了，因爲你的業把客觀環境都改變了。

卷中竟

國家圖書館出版品預行編目資料

地藏菩薩本願經：夢參老和尚主講
方廣編輯部整理．-初版．
--台中市；方廣文化，2002--　(民91)
面：　　公分
ISBN 957-9451-70-3
1.方等部
221.36　　　　91014798

地藏菩薩本願經《卷中》

主講：上夢下參老和尚
出版：方廣文化事業有限公司
錄音帶整理：溫哥華居士、方廣編輯部
住址：台北大安區市和平東路一段一七七-二號十一樓
電話：(〇二)二三九二-〇〇〇三　傳真：(〇二)二三九一-九六〇三
劃撥帳號：一七六二三四六三
戶名：方廣文化事業有限公司
封面設計：大觀創意團隊
印製：鎏坊工作室
裝訂：精益裝訂有限公司
經銷：飛鴻國際行銷有限公司
電話：(〇二)八二一八-六六八八　傳真：(〇二)八二一八-六四五八
出版日期：公元二〇一七年元月　二版五刷
定價：新台幣二二〇元
行政院新聞局出版登記證：局版臺業字第六〇九〇號
網址：www.fangoan.com.tw
電子信箱：fangoan@ms37.hinet.net

No：D506-2

方廣文化出版品目錄〈一〉

夢參老和尚系列

書籍類

● 華嚴

H203 淨行品講述
H224 梵行品新講
H205 華嚴經普賢行願品講述
H206 華嚴經疏論導讀
H208 淺說華嚴大意
HP01 大乘起信論淺述
H209 世主妙嚴品(三冊)【八十華嚴講述①②③】
H210 如來現相品・普賢三昧品【八十華嚴講述④】
H211 世界成就品・華藏世界品・毘盧遮那品【八十華嚴講述⑤】
H212 如來名號品・四聖諦品・光明覺品【八十華嚴講述⑥】
H213 菩薩問明品【八十華嚴講述⑦】

● 般若

B401 般若心經
B406 金剛經
B409 淺說金剛經大意
B410 般若波羅蜜多心經講述

● 地藏三經

地藏經

D506 地藏菩薩本願經講述(全套三冊)
D516 淺說地藏經大意

占察經

D509 占察善惡業報經講記(附HIPS材質占察輪及修行手冊)
D512 占察善惡業報經新講《增訂版》

大乘大集地藏十輪經 D507(全套六冊)

D507-1 地藏菩薩的止觀法門(序品 第一冊)
D507-2 地藏菩薩的觀呼吸法門(十輪品 第二冊)
D507-3 地藏菩薩的戒律法門(無依行品 第三冊)
D507-4 地藏菩薩的解脫法門(有依行品 第四冊)
D507-5 地藏菩薩的懺悔法門(懺悔品 善業道品 第五冊)
D507-6 地藏菩薩的念佛法門(福田相品 獲益囑累品 第六冊)

方廣文化出版品目錄〈二〉

夢參老和尚系列

書籍類

● 楞嚴

LY01 淺說五十種禪定陰魔 —《楞嚴經》五十陰魔章
L345 楞嚴經淺釋 (全套三冊)

● 天台

T305 妙法蓮華經導讀

● 開示錄

S902 修行
Q905 向佛陀學習【增訂版】
Q906 禪・簡單啟示【增訂版】
Q907 正念

DVD

D-1A 世主妙嚴品《八十華嚴講述》(60講次30片珍藏版)
D-501 大乘大集地藏十輪經 (上下集共73講次37片)
D-101 大方廣佛華嚴經《八十華嚴講述》
(繁體中文字幕 全套482講次 DVD 光碟452片)

CD

P-05 金剛般若波羅蜜經 (16片精緻套裝)

錄音帶

P-02 地藏菩薩本願經 (19卷)

方廣文化出版品目錄〈三〉

地藏系列

D503 地藏三經
(地藏菩薩本願經、大乘大集地藏十輪經、占察善惡業報經)
D511 占察善惡業報經行法 (占察拜懺本) (中摺本)

華嚴系列

H201 華嚴十地經論
H202 十住毘婆沙論
H207 大方廣佛華嚴經 (八十華嚴) (全套八冊)

般若系列

B402 小品般若經
B403A 大乘理趣六波羅蜜多經
B404A 能斷金剛經了義疏 (附心經頌釋)
B408 摩訶般若波羅蜜經 (中品般若) (全套三冊)

天台系列

T302 摩訶止觀
T303 無量義經 (中摺本)
T304 觀普賢菩薩行法經 (中摺本)

部派論典系列

S901A 阿毘達磨法蘊足論
Q704 阿毗達磨俱舍論 (全套二冊)
S903 法句經 (古譯本) (中摺本)

瑜伽唯識系列

U801 瑜伽師地論 (全套四冊)
U802A 大乘阿毗達磨集論
B803 成唯識論
B804A 大乘百法明門論解疏
B805 攝大乘論暨隨錄

憨山大師系列

HA01 楞嚴經通議 (全套二冊)

方廣文化出版品目錄〈四〉

密宗系列

M001 菩提道次第略論釋
M002A 勝集密教王五次第教授善顯炬論
M003 入中論釋
M004 大乘寶要義論(諸經要集)
M006 菩提道次第略論
M007 寂天菩薩全集
M008 菩提道次第廣論
M010 菩提道次第修法筆記
M011 白度母修法(延壽法門修法講解)
M012 中陰-死亡時刻的解脫
M018 菩提道次第廣論集註(卷一～卷十三)
M019 佛教的本質-《佛教哲學與大手印導引》

能海上師系列

N601 般若波羅蜜多教授現證莊嚴論名句頌解
N602 菩提道次第論科頌講記
N345 戒定慧基本三學
N606 能海上師傳
N607 現證莊嚴論清涼記
N608 菩提道次第心論

論頌系列

L101 四部論頌
(釋量論頌 現證莊嚴論頌 入中論頌 俱舍論頌)
L102 中觀論頌 (中摺本)
L103 入菩薩行論頌 (中摺本)
L104A 彌勒菩薩五部論頌
L105A 龍樹菩薩論頌集
L106 中觀論頌釋
R001 入中論頌 (小摺本)

方廣文化出版品目錄〈五〉

南傳佛教系列

SE05 七種覺悟的因素
SE06 南傳大念處經(中摺本)
SE07 三十七道品導引手冊《阿羅漢的足跡》(增訂版)
SE08 內觀基礎《從身體中了悟解脫的真相》
SE09 緬甸禪坐《究竟的止觀之道》(增訂版)

其他系列

Q701 單老居士文集
Q702 肇論講義
Q703B 影 塵-倓虛老法師回憶錄
Q705 佛學小辭典 (隨身版)
ZA01 參 禪 《虛雲老和尚禪七開示》
ZA02 禪淨雙修 《虛雲老和尚開示錄》
Z005 《禪宗公案》-李潤生著

方廣文化事業有限公司
http://www.fangoan.com.tw